Jim Hodges

Centre national d'art et de culture Georges Pompidou

Président
Alain Seban

Directrice générale
Agnès Saal

Directeur du Musée national d'art moderne – Centre de création industrielle
Alfred Pacquement

Directeur du Département du développement culturel
Bernard Blistène

Président de la Société des amis du Musée national d'art moderne
François Trèves

Commissariat de l'exposition et conception du catalogue

Conservateur du Cabinet d'art graphique
Jonas Storsve

Après Paris, l'exposition sera présentée à :

Fondazione Bevilacqua La Masa, Venise
du 5 février au 11 avril 2010

Camden Arts Centre, Londres
du 11 juin au 29 août 2010

Fondazione Bevilacqua La Masa, Venezia

Presidente
Angela Vettese

Consiglio di Amministrazione
Giorgio Chiavalin, Patrizia Magli,
Giampaolo Pavan, Giandomenico Romanelli,
Saverio Simi de Burgis, Angiola Tiboni

Direttore
Elisabetta Meneghel

Curatori
Stefano Coletto

Ufficio stampa
Giorgia Gallina
in collaborazione con
Studio Pesci, Bologna

Segreteria
Annabianca Traversa, Tina Ponticiello

FONDAZIONE BEVILACQUA LA MASA | COMUNE DI VENEZIA

Camden Arts Centre, London
www.camdenartscentre.org

Director
Jenni Lomax

Exhibitions Programmer
Anne-Marie Watson

Gallery Manager
Richard Gough

Camden
arts centre

ARTS COUNCIL ENGLAND

Camden
Funded by Camden Council

Le Centre national d'art et de culture Georges Pompidou
est un établissement public national placé sous
la tutelle du ministère chargé de la culture
(loi n° 75-1 du 3 janvier 1975).

Textes traduits par Anna Gibson et Gila Walker
© Jim Hodges
© Éditions du Centre Pompidou, Paris, 2009
N° d'éditeur : 1386
ISBN : 978-2-84426-428-2
Dépôt légal : octobre 2009

Jim Hodges

Love et cetera

GALERIE D'ART GRAPHIQUE

14 octobre 2009 – 18 janvier 2010

 Centre
Pompidou

Double portrait, l'artiste et sa mère, mai 2008, 2008

Le choix de la couleur de la couverture des catalogues de la collection «Carnet de dessins», inaugurée en 1993, est toujours confié aux artistes. Jim Hodges a choisi ce très beau bleu, pantone 2925, qui n'avait servi à aucun des vingt-six catalogues précédents de la série. Il explique ainsi son choix : «Le bleu est important pour moi ; je l'associe au ciel, à l'infini, à la sainte Vierge, à l'enfance et à l'eau… Pour moi, il a des attributs et un sens mystiques. C'est un doux infini, un lointain plus chaleureux, une poésie constante et insistante. À mes débuts, quand je commençais à trouver "ma voix", j'essayais de faire en sorte que mon travail reste personnel. Mon attirance pour la couleur bleue depuis mon enfance était un bon début. C'est une histoire vraisemblable en fait pour "l'enfant bleu" que j'étais et que je suis toujours. Dans *Notre-Dame-des-Fleurs*, Genet évoque le bleu du ciel, de petits soldats peints en bleu… Cet usage symbolique de la couleur m'a aussi inspiré [1]. »

Qui a peur de la beauté ?

Jonas Storsve

1. Correspondance entre l'artiste et l'auteur, 13 juillet 2009.
2. Juan Floris fonda sa parfumerie à Londres en 1730.
3. *Double portrait, l'artiste et sa mère, mai 2008*, édité en 12 exemplaires par l'artiste lui-même.
4. Jim Hodges explique que la bougie qui porte le nom de sa mère, Ramona Delores, a été confectionnée par un faiseur de bougies et «sorcier» de Provincetown. L'artiste lui confia un flacon du parfum préféré de sa mère, *Shalimar* de Guerlain, et lui demanda de faire une bougie à partir de celui-ci.
5. Son odeur qui rappelle l'œillet est évidemment à mettre en rapport avec l'œillet vert que Wilde et ses amis portaient volontiers à la boutonnière.

Il y a quelques années, Jim Hodges fêta son anniversaire à Londres. À cette occasion, un des convives lui offrit un cadeau qui se révéla par la suite nettement plus significatif qu'il ne se l'était imaginé. Il s'agissait du flacon de parfum pour homme « Malmaison » de la célèbre maison londonienne Floris[2]. L'année dernière, l'artiste réalisa un multiple : *Double Portrait, The Artist and his Mother, May 2008*[3] qui est justement constitué d'un flacon de 100 cl de « Malmaison » et d'une bougie blanche contenue dans un verre transparent. Si la bougie, qui évoque l'église catholique et la sainte Vierge, représente clairement la mère de Jim Hodges, décédée au printemps 2006[4], la présence du flacon semble à première vue plutôt incongrue et nécessite que l'on se penche sur son histoire. « Malmaison » était en effet le parfum préféré du grand écrivain irlandais Oscar Wilde[5] qui est né le même jour que Jim Hodges, également d'origine irlandaise. De plus, les deux artistes partagent la même culture catholique – et la même sexualité.

Jim Hodges est né à Spokane, dans l'État de Washington, le 16 octobre 1957. Il étudie les arts plastiques au Fort Wright College de la même ville, d'où il sort diplômé en 1980. Il s'installe ensuite en 1983 à Brooklyn et poursuit ses études au Pratt Institute, où, à l'occasion de son diplôme de Master of Fine Arts, il présente sa première exposition personnelle en 1986. À partir de 1984 et jusqu'en 1993, il travaille également pour la galerie de Nancy Hoffman, installée depuis 1972

6. Elaine Dannheisser, née Hanfling (1923-2001), était une collectionneuse new-yorkaise très respectée qui conservait et exposait ses œuvres dans un bâtiment de Duane Street dans le bas de Manhattan. Après avoir épousé Werner Dannheisser en 1953, le couple commença à collectionner des œuvres d'art et leur goût évolua rapidement. De Picasso et Léger, ils s'orientèrent vers Dubuffet, Rauschenberg et Agnes Martin. Au début des années 1980, Elaine Dannheisser s'intéressa à l'art néo-expressionniste et au graffiti, qu'elle revendit quelques années plus tard, jugeant ces mouvements trop peu exigeants. Elle se tourna alors vers des artistes comme Robert Gober, Felix Gonzalez-Torres et Matthew Barney. Elle offrit des nombreuses œuvres importantes au MoMA. Dans son article nécrologique paru dans le *New York Times* le 30 octobre 2001, Roberta Smith note que Jim Hodges était un de ses très rares amis parmi les artistes.

7. « You Ornament the Earth. A Dialogue with Jim Hodges by Ian Berry », dans *Jim Hodges*, Saratoga Springs, The Frances Young Tang Teaching Museum and Art Gallery at Skidmore College, 2003, p. 8-10.

8. Il s'agit d'une œuvre composée de boîtes de métal surmontées de photographies éclairées par des lampes.

9. L'œuvre fut détruite accidentellement.

10. Peintre néerlandais (1682-1749) spécialisé dans la peinture des fleurs.

11. Le magasin sur la Cinquième Avenue ferma en 1990 pour donner place à la tour que construisit Donald Trump, The Trump Tower. Jasper Johns, Robert Rauschenberg et Andy Warhol, en leur temps, réalisèrent des décorations pour les vitrines. Voir *I Remember Heaven. Jim Hodges and Andy Warhol*, cat. exp., St. Louis, Contemporary Art Museum, 2007, p. 48.

dans Soho. Peu de temps après son diplôme, Jim Hodges fait la connaissance d'Elaine Dannheisser[6]. Elle lui propose un atelier en échange de quelques heures de travail hebdomadaires pour sa collection d'art contemporain. Il gardera cet atelier pendant neuf ans. Dans un entretien, il explique que la proximité des œuvres de la collection Dannheisser lui a permis de se défaire de tout ce qu'on lui avait enseigné dans les écoles d'art – il avait étudié la peinture – et il souligne que cela lui a apporté une nouvelle liberté[7]. Il insiste notamment sur l'importance d'une œuvre de Christian Boltanski[8] qui le marqua profondément.

Sa première œuvre de maturité, *One*[9], dans laquelle il explore les possibilités d'enlever le dessin du mur pour le déplacer vers l'espace, date de 1987. Elle est composée de dessins au fusain qu'il avait agrafés ensemble de façon à former un cylindre posé simplement par terre. Afin de pouvoir voir l'œuvre en entier, le spectateur devait tourner autour, faisant ainsi partie intégrante de l'œuvre.

On retrouve cette même préoccupation dans *Arranged* (cat. 25), réalisé à partir d'un livre contenant des reproductions de compositions florales, dont l'artiste a légèrement plié plusieurs feuilles pour recomposer un nouveau bouquet en relief. Réinterprétation contemporaine des somptueuses natures mortes aux bouquets de fleurs d'un Jan van Huysum[10], cette œuvre, qui appartient au domaine de la sculpture, témoigne magistralement de la capacité de Jim Hodges à détourner et enrichir le domaine du dessin, qu'il pousse dans ses limites les plus extrêmes.

Si, sur le plan formel, l'expérimentation innovatrice avec des matériaux inhabituels reste une constante, l'artiste se montre également fidèle aux grands sujets qui le préoccupent : la nature, la beauté, l'amour, la sexualité, la mort – l'évocation de la fragilité de la vie se traduit souvent, comme dans *Arranged*, par le biais de la vanité, présente dans l'art depuis le Moyen Âge.

Les œuvres de ses débuts impressionnent par leur radicalité formelle. *Good Luck* (cat. 1), un masque de ski déformé à l'expression grotesque, est simplement accroché dans un coin, d'où le regard anonyme balaie la salle où il est accroché. Avec *Deformed* (cat. 2), un sac de courses en papier du célèbre grand magasin new-yorkais Bonwit Teller[11] est simplement découpé en croix, forme ancestrale qui évoque de la façon la plus simple possible un corps humain comme orné de tatouages de bouquets de fleurs. La relation au corps est également fortement

Flesh Suspense, 1989-1990

12. On peut dans ce contexte également évoquer l'œuvre *Un mètre carré de rouge à lèvres* que réalise Fabrice Hyber en 1981 (collection Frac des Pays de la Loire, Carquefou).

13. *Sans titre*, 1989, *Sketch*, 1990, et *Web Chainflower*, 1991.

14. Exposition personnelle consacrée à Jim Hodges à la foire d'art moderne et contemporain organisée par la Art Dealers Association.

15. En 1994, dans le cadre d'une exposition collective en Californie, il publie dans la section « petites annonces » de plusieurs revues spécialisées de San Francisco une image de lui-même dévêtu (une estampe réalisée avec le Fabric Workshop and Museum de Philadelphie) simplement accompagnée de son prénom et d'un numéro de téléphone, celui de son atelier.

perceptible dans les deux dessins réalisés avec de la cire et du fond de teint (cat. 5 et 6). Dans l'un, une déchirure dans la « peau » est même reprisée avec du fil chirurgical. Ils sont contemporains de *Flesh Suspense* (1989-1990), une « peinture » également réalisée avec des produits de maquillage[12], à la fois transpercée et maintenue par des crochets métalliques. La violence contenue de ces œuvres semble évoquer les multiples représentations de saint Sébastien dans l'art occidental, invoqué à la Renaissance pour intercéder contre la peste. Au moment de la réalisation de ces œuvres, le sida fauche des centaines de milliers de personnes, saint Sébastien et son attribution reprenant ainsi leur signification au sein de cette sombre actualité.

L'évocation du corps humain, et de la peau en particulier, est également présente dans plusieurs dessins dans lesquels Jim Hodges explore les possibilités formelles et métaphoriques du ruban adhésif (cat. 3, 7 et 10)[13]. Il libère cette matière friable, à durée de vie limitée, de son aspect utilitaire pour la sublimer dans des compositions qui annoncent déjà les principaux thèmes de ses œuvres des années 1990, notamment les toiles d'araignées et les fleurs qui avaient déjà fait une première apparition dans *Deformed* en 1989.

Les dessins aux affiches punaisées, inspirés des avis de recherches, sont moins sombres et plus sensuels (cat. 8 et 9). Ils ne furent dévoilés au grand public qu'en 2007 lorsque la galerie CRG les présenta à New York[14] avec d'autres œuvres de la même époque. Ces dessins renvoient au monde des westerns et à leur iconographie très codée, du monde masculin notamment, que Jim Hodges traite en utilisant la tradition de la peinture en trompe-l'œil. Les affiches, vierges de toute écriture, pourraient servir de supports à de potentiels fantasmes sexuels[15], aspect qui est dévoilé et renforcé par le caractère éminemment physique et corporel des nœuds des planches de bois. Si le bois peut être lu comme une métaphore du corps masculin, l'affiche, fixée à l'aide de gros clous forgés, prend les fonctions du vêtement qui rétrécit pour mieux dévoiler la nudité du corps.

Au même moment, il insère, avec un geste très érotique et de façon encore plus pénétrante, son propre organisme dans ses dessins, en utilisant une technique d'impression de sa propre invention : il se sert de sa propre salive pour transférer un dessin à l'encre sur un autre papier. Il dessine le motif puis le lèche jusqu'à ce que le papier soit suffisamment humide pour pouvoir être imprimé sur une autre feuille. Les premières œuvres de ce type sont généralement de relativement petit format (cat. 12), à l'exception du grand dessin du Whitney Museum of

American Art (cat. 11), et sont constitués de petits dessins de fleurs, de toiles d'araignées, de chaînes ou de crayonnages automatiques. Lorsqu'il reprend cette même technique en 2006, le format et le contenu ont considérablement changé. Dans une œuvre en hommage à sa mère décédée (cat. 45), il crie sa douleur et sa profonde tristesse au moyen de lettres ornées, comme sorties d'un livre d'heures médiéval : *Oh For Crying Out Loud* [16]. On se prend même à penser qu'au lieu de sa salive, l'artiste aurait utilisé ses larmes pour transférer le dessin.

L'évocation de l'amour est omniprésente dans son œuvre, que ce soit sous la forme du mot « Love » qui apparaît régulièrement (cat. 15, 20 et 35) ou simplement évoqué avec des cœurs (cat. 28 et 33). Jim Hodges dévoile des bribes de cet amour avec des sortes de rébus : dans *Sans titre*, 1989 (cat. 4), des lettres capitales découpées et disposées négligemment sur une feuille de papier forment une phrase « JIM LOVES T » – ou alors « TIM LOVES J », l'un n'excluant d'ailleurs pas l'autre [17]. *Sans titre (Aigle et papillons)* (cat. 14) forme quant à lui un double portrait délicat et poétique de l'artiste et de son grand ami Felix Gonzalez-Torres [18]. L'œuvre *He and I* (1998) [19], dessin mural formé de deux cercles identiques de couleurs différentes qui se superposent en partie, est encore un autre double portrait qui célèbre, comme tant d'autres artistes avant lui, une relation amoureuse [20].

L'œuvre dessiné de Jim Hodges dépasse volontiers la feuille de papier traditionnelle pour devenir dessin dans l'espace. C'est notamment le cas des œuvres dans lesquelles il explore le thème de la toile d'araignée, dont il réalise de nombreuses versions à partir de 1991, au même moment où Vija Celmins s'empare de ce sujet [21]. Ses toiles d'araignées les plus complexes évoquent certaines œuvres d'Eva Hesse, notamment sa dernière grande installation non terminée, *Sans titre*, 1970 [22]. Traditionnellement liées à des notions telles que la mélancolie [23], l'âge ou le déclin, les toiles d'araignées de Jim Hodges, composées de chaînes métalliques (argent, cuivre, acier) sont d'un tout autre caractère. Alors que la toile tissée par l'araignée évoque la saleté et la poussière, celles-ci, composées à la fois d'éléments de bijoux et de quincaillerie, se réfèrent à la fois à la beauté et à la contrainte. Elles furent au départ montrées dans des expositions de groupe, où elles occupaient la place à la fois la moins visible et la plus appropriée pour une toile d'araignée : un placard, un coin du plafond… Elles sont cependant parfois associées à d'autres éléments sculpturaux : un blouson de cuir [24], une guirlande de fleurs artificielles [25]… Elles changent ainsi de caractère pour devenir plus visibles et présentes. *Hello, again* (cat. 22) est une œuvre exemplaire

16. Cette expression d'exaspération, un euphémisme pour *Oh For Christ's Sake!* (« Pour l'amour de Dieu ! »), comporte les mots « Pleurer tout haut ».

17. Le compagnon de Jim Hodges à cette époque était en effet le photographe Tim Hailand.

18. L'artiste d'origine cubaine, né en 1955, est décédé en 1996 des suites du sida.

19. Un double portrait de l'artiste et de son compagnon de l'époque, Craig Ducote.

20. Par exemple, Pieter Paul Rubens, *Autoportrait avec Isabelle Brandt* (1609, Alte Pinakothek, Munich) et Rembrandt Harmenszoon van Rijn, *Autoportrait avec Saskia* (1635, Gemäldegalerie, Dresde).

21. *Web*, 1992 (Dallas, collection Robert K. et Marguerite Hoffman). Voir Jonas Storsve, « D'un lieu l'autre » dans *Vija Celmins, Dessins/Drawings*, Paris, Éditions du Centre Pompidou, 2006, p. 15.

22. Collection Whitney Museum of American Art, New York.

23. Voir la gravure sur bois de Caspar David Friedrich, *Femme avec toile d'araignée entre des arbres dénudés*, 1803-1804.

24. *No One Ever Leaves*, 1992 (collection particulière).

25. *A Model of Delicacy*, 1992 (collection particulière).

dans sa simplicité. Dans l'exposition, elle sera rapprochée de deux dessins, dans lesquels l'artiste associe la toile d'araignée au papier. Dans *Chained* (cat. 20), le mot « Love » est formé de chaînes dessinées à l'encre bleue et les lettres sont reliées entre elles par des toiles, également dessinées, tandis que dans *No More Dreams / In Real Time* (cat. 21) des petites toiles en chaînes métalliques tentent de combler les espaces vides du papier. L'aspect à la fois sensuel et violent de ces œuvres est parfaitement sensible, même dans ses dessins.

Pour sa première exposition personnelle à la galerie CRG[26] à New York en 1994, Jim Hodges présente une œuvre ambitieuse composée d'un nombre important de serviettes en papier, simplement épinglées au mur, sur lesquelles il a dessiné des fleurs. Ces serviettes, que l'artiste a récupérées lorsqu'il allait dans les cafés new-yorkais, sont souvent maculées de taches, véhiculant ainsi les traces de leur usage habituel tout en étant magnifiées par le nouveau statut que l'artiste leur confère. Elles représentent toutes un moment unique et forment, comme leur titre, *A Diary of Flowers*, l'indique très clairement, un journal dans lequel chaque instant vécu compte.

Jeune, Jim Hodges a beaucoup lu Jean Genet, et en particulier *Notre-Dame-des-Fleurs* et *Le Miracle de la rose*. Ces deux livres, les plus poétiques de l'auteur français, l'ont beaucoup marqué. La symbolique des fleurs est très présente dans l'écriture de Genet, ce qui explique certainement en partie leur présence dans l'œuvre de Jim Hodges, qu'elles soient dessinées sur des serviettes ou artificielles, déconstruites, épinglées ou réarrangées en guirlandes ou en rideaux.

Les fleurs artificielles font leur apparition très tôt dans son travail. Il explique qu'il avait pour ainsi dire cessé de se servir de la couleur lorsqu'il s'arrêta de peindre, et que c'est grâce aux fleurs artificielles que la couleur refit son apparition dans son œuvre[27]. Déjà, dans *A Model of Delicacy* (1992), il associe une petite guirlande de fleurs de soie à des toiles d'araignée en fines chaînes métalliques, commençant ainsi à expérimenter ce matériau qui est si loin des matières nobles. Ces recherches aboutissent à deux séries d'œuvres qui sont parmi les plus caractéristiques dans l'œuvre de Jim Hodges : les fleurs épinglées et les rideaux de fleurs.

Avec *A Dizzying Succession* (1993)[28], l'artiste inaugure une importante série d'installations murales simplement en épinglant des pétales de fleurs en tissu déconstruites sur le mur. Cela donne de petites œuvres domestiques comme *Our Day* (1993)[29] comportant moins de 200 éléments ou des installations monumentales de plus de 1 000 éléments[30]

26. À l'époque installée East 71th Street, à 100 mètres de la Frick Collection.

27. « You Ornament the Earth… », *op. cit.*, p. 14.

28. Collection particulière, Texas.

29. Qui servit à la couverture du catalogue de l'exposition *Beauty Now*, organisée par le Hirshhorn Museum and Sculpture Garden à Washington D.C. en 1999, et qui est conservé dans une collection particulière à Paris.

30. Par exemple, *This Way In*, 1999, collection Hirshhorn Museum and Sculpture Garden, Washington D.C., comporte 1 046 éléments.

In Blue, 1996

31. Jim Hodges avait accompagné son ami Felix Gonzalez-Torres à son vernissage au Fabric Workshop and Museum en 1994. C'est à cette occasion qu'il rencontre la directrice, Marion Boulton Stroud, qui l'invite quelques mois plus tard (voir « You Ornament the Earth… », *op. cit.*, p. 13).

32. Collection Museum of Contemporary Art, Chicago.

33. Collection Carlos et Rosa de la Cruz, Miami.

34. Cette œuvre fut offerte au Cleveland Museum of Art par Agnes Gund.

35. « You Ornament the Earth… », *op. cit.*, p. 14, et correspondance entre l'artiste et l'auteur du 13 juillet 2009.

se déployant sur des murs entiers, comme une carte d'un archipel réalisée par un peuple navigateur et amateur de fleurs. L'ordonnance de ces diaphanes et délicates évocations métaphoriques de la vie et de la mort est, à l'instar de *Changing Things* (cat. 26), définitivement fixée dans l'atelier de l'artiste qui ne s'en sépare qu'accompagnée de schémas extrêmement précis.

Lorsqu'il est invité à créer un projet avec le Fabric Workshop and Museum à Philadelphie[31], il apporte un morceau de tissu fait de fleurs artificielles maladroitement cousues ensemble. Le savoir-faire de l'institution pennsylvanienne favorise la mise au point d'une technique lui permettant de créer d'immenses rideaux, qu'il réalise plus grands que l'espace pour lequel ils sont fabriqués. Le multicolore *Every Touch* (cat. 23), dont les pétales de fleurs sont assemblés de façon aléatoire, est le premier d'une suite de 10 rideaux dont le dernier date de 1999. *Already Here, Already There* (1995) est blanc monochrome et *The End From Where You Are*[32] (1998), est noir. Le dernier en date, *Where Are We Now* (1999)[33] est, comme le premier, multicolore, mais dominé par des tonalités roses. *In Blue* (1996)[34], créé à la demande et en souvenir de Felix Gonzalez-Torres, est bien évidemment bleu ; Jim Hodges explique pourquoi : « En 1995, après avoir vu une de mes installations chez CRG, où je présentais un rideau tout blanc, Felix s'est tourné vers moi et a dit : "Ah, Jimmy c'est tellement beau ! Tu peux le faire en bleu ?" J'ai exécuté *In Blue* à la fin de l'hiver 1996, quelques mois après la mort de Felix. Ma mère est venue à New York et a passé une semaine dans mon appartement à le coudre. C'est la seule fois qu'elle est venue toute seule, sans mon père et ma grand-mère, ses compagnons de voyage habituels. Elle est venue exprès pour réaliser *In Blue*. Bien évidemment, tout ceci et tout ce que contient cette brève narration est impliqué dans la couleur bleue pour moi. Le bleu est la couleur qui contient le plus d'émotion pour moi. Elle peut en contenir beaucoup[35] ! ». Suspendues dans l'espace, ces immenses cascades luxuriantes de dentelles célèbrent la transformation d'une matière ordinaire, vulgaire en beauté pure.

L'importance accordée à la nature est une autre constante dans l'œuvre de Jim Hodges. Son expression la plus radicale se trouve peut-être dans son travail sur le camouflage qui trouve son aboutissement dans la peinture murale *Oh Great Terrain* (cat. 41). Comme l'explique Jim Hodges, le motif du camouflage moderne doit son origine au peintre et naturaliste américain Abbott Handerson Thayer (1849-1921) qui publia en 1896 les principes sophistiqués de camouflage qu'il avait observé chez les animaux pendant ses années de recherche dans la nature[36]. Pour Jim Hodges, « Le camouflage est une expression de la nature. C'est ce qui m'a attiré et continue de m'attirer aujourd'hui encore. C'est une représentation artificielle de la nature par l'artiste Abbott Thayer. Il a fait cette observation sur la dissimulation animale et a continué à exprimer la nature dans ce simple petit motif d'ombres – lumière et obscurité. J'apprécie de travailler avec la source, c'est-à-dire la nature, et ensuite sur les questions politiques et culturelles qui l'accompagnent. J'aime les matériaux chargés[37]. » L'idée que l'homme puisse ne faire qu'un avec la nature, semble contenue dans son utilisation du motif du camouflage et rapproche Jim Hodges du grand poète américain Walt Whitman, dont les *Leaves of Grass* figurent en bonne place dans sa bibliothèque. *Oh Great Terrain* est présentée pour la première fois en 2002 à la galerie CRG à New York. Au-dessus, l'artiste installa une œuvre photographique représentant un tronc de platane, afin de mettre en avant les troublantes similitudes de l'écorce avec la peinture murale. Acquise par le grand collectionneur Glenn Fuhrman, elle fut de nouveau réalisée dans son espace d'exposition personnelle de Manhattan, avant d'être présentée en 2007 au Contemporary Art Museum St. Louis dans l'exposition « I Remember Heaven. Jim Hodges and Andy Warhol »[38]. Warhol, en outre, est à l'origine de la toute première œuvre de Jim Hodges comportant un élément de camouflage, *Sans titre* (1988)[39]. Dans l'œuvre *Into the Stream IV* (2006)[40], Jim Hodges applique le motif du camouflage au miroir, qui brouille l'image du spectateur et la fait se fondre dans l'environnement. À la fin des années 1990, il s'était penché sur cette même question dans des grands miroirs maroufflés sur toile, puis brisés. Le mythe de Narcisse, qu'Ovide fait renaître sous la forme d'une fleur après qu'il se soit noyé, attiré par son propre reflet, n'est évidemment pas tout à fait étranger à ce groupe d'œuvres, dont le plus important est, d'après l'artiste, celui du Frac des Pays de la Loire (cat. 27). Au printemps 2008, Jim Hodges pousse ses investigations du motif de camouflage à son extrême : il réalise quatre grandes œuvres murales, présentées à la galerie Stephen Friedman de Londres, en déconstruisant un énorme morceau de tissu au motif de camouflage, en le découpant et en réassemblant les éléments de quatre couleurs différentes. Ces œuvres, dont les dimensions sont calquées sur les peintures archétypales de Jackson Pollock et de ses contemporains, forment de puissantes compositions abstraites monochromes, justement dans la grande tradition de la peinture américaine des expressionnistes abstraits de la période héroïque.

36. « Les animaux ont tendance à être plus sombres sur les parties de leur corps les plus exposées à la lumière du soleil, et plus clairs sur les parties qui restent le plus souvent à l'ombre [...]. Un tel phénomène [...] rend souvent l'animal invisible. [...] l'existence [sur le pelage de nombreux animaux] de motifs de couleur arbitraires très marqués [tend] à les camoufler en détruisant la continuité de leur apparence et donc à brouiller le contour de leur forme ». Abbott Thayer, cité d'après l'excellent article de Brenda Richardson, « Hiding in Plain Sight. Warhol's Camouflage », dans *Andy Warhol, Camouflage*, cat. exp., New York, Gagosian Gallery, 1998, p. 13.

37. Jim Hodges, « You Ornament the Earth… », *op. cit.*, p. 15.

38. Warhol réalisa en 1986, un an avant son décès, un important corpus de peintures et estampes en utilisant le motif du camouflage, les plus importantes étant certainement les « Autoportraits au camouflage ». Voir *Andy Warhol, Camouflage*, *op. cit.*

39. Reproduite dans *Jim Hodges*, Saratoga Springs, *op. cit.*, p. 7, et décrite par Susan E. Cahan dans son introduction au catalogue *I Remember Heaven…*, *op. cit*, p. 13-14.

40. *Ibid.*, reproduction p. 36-37.

41. À ce jour, la seule exposition personnelle de Jim Hodges en France fut celle organisée par la galerie Ghislaine Hussenot, Paris, du 20 septembre au 17 octobre 1997.

42. Jim Hodges composa le poème pendant un vol entre Los Angeles et New York en 1996. Correspondance entre l'artiste et l'auteur, 14 juillet 2009.

43. Une carte postale reproduisant ce dessin, au format quasi identique à l'original, sera insérée, comme un marque-page, dans le présent catalogue.

44. La liste comporte à ce jour 39 journaux : *The New York Times*, *The London Guardian*, *Le Monde*, *Al Nahar* (Beyrouth), *Yediot Aharonot* (Tel Aviv), *Folha* (São Paulo), *Clarín* (Buenos Aires), *El País* (Espagne), *Neue Zürcher Zeitung* (Zurich), *Asahi Shimbun* (Tokyo), *Irish Times* (Dublin), *The San Francisco Chronicle*, *El Nacional* (Caracas), *Gama Cuba* (La Havane), *The Province* (Vancouver), *Los Angeles Times*, *Dawn* (Karachi), *The Star* (Johannesburg), *Nanfang Daily* (Shanghai), *Reforma Córazon De México*, *Kantipur* (Népal), *Il Gazzettino* (Venise), *Berliner Morgenpost* (Berlin), *The Gleaner* (Jamaïque), *Il Lunedì della Reppublica* (Rome), *Dagens Nyheter* (Stockholm), *The New Times* (Kigali), *De Volkskrant* (Amsterdam), *De Morgen* (Belgique), *Ta Nea* (Athènes), *El Nacional* (Saint-Domingue), *Prensa Libre* (Guatemala), *The Beijing News*, *El Comercio* (Quito), *The Belfast Telegraph*, *Al Riyadh* (Arabie Saoudite), *El Diario de Hoy* (San Salvador), *Al Arab Al Yawm* (Amman), *Attelahat* (Téhéran).

45. Jim Hodges se sert de cette phrase déjà en 2000 pour un petit dessin tridimensionnel, *Don't Be Afraid* (collection particulière, San Francisco).

Le goût de Jim Hodges pour la poésie transparaît clairement dans son œuvre à travers son utilisation des mots. Ils forment souvent le contenu même de ses dessins, que ce soit les quatre lettres de « Love » dans *Chained* (cat. 20) ou les trois feuilles de 1998 (cat. 30-32) reprenant des onomatopées – extraites des sons qu'il avait entendu lors de son voyage à Paris à l'occasion d'une exposition[41] – ou des collages de partitions musicales comme dans *Sans titre (Love)* (cat. 35) où ne sont réunis que des fragments musicaux comportant le mot « Love » ou dans *Sans titre (Colour)* (cat. 36), uniquement des désignations de couleur. L'aboutissement de ces travaux sur le langage est certainement le somptueux grand poème *Slower Than This*[42] (cat. 37), composé sur six panneaux, dont chaque lettre est découpée dans une photographie de couleur. Un exemple beaucoup plus modeste est la petite feuille (cat. 16)[43] désignant, comme une liste de courses, les différentes fonctions qu'un homme peut avoir vis-à-vis d'une autre personne : « Frère, ami, amant, cousin, mari, copain, compagnon, partenaire, camarade… ».

Jim Hodges sait magnifier des matières pauvres et ordinaires, mais il sait aussi se servir de matières nobles et rares, telles que l'or fin. Dès 2004, il réalise des dessins aux motifs floraux à la feuille d'or, et, à partir de 2005 sous le titre générique de *The Good News*, il s'engage dans un projet planétaire consistant à recouvrir de feuilles d'or chaque page recto-verso d'un exemplaire d'un journal de chaque pays du globe. Après *The New York Times*, ce fut *The Guardian*, *Le Monde* (cat. 44), *Al Nahar* de Beyrouth, *Yediot Aharonot* de Tel Aviv… À chaque fois, le journal lui fut rapporté par des amis[44].

Cette vision généreusement humaniste visant à englober le monde entier est à mettre en parallèle avec *Don't Be Afraid*, un projet collectif qu'il réalise en 2004 pour le Worcester Art Museum. Avec le concours des représentants nationaux siégeant aux Nations Unies, il reçoit la phrase « Dont be afraid[45] » traduite en 69 langues différentes, et les présente sur un énorme panneau dans le musée, mais aussi sur un T-shirt et une carte postale.

Si Jim Hodges n'a nullement peur de la beauté, sa préoccupation principale est néanmoins clairement d'ordre éthique et non esthétique. Dans son œuvre, il ne travaille pas pour l'amour de la beauté, mais bien pour la beauté de l'amour.

The choice of colour for the covers of the 'Carnet de dessins' catalogue series has always been left to the artist. Jim Hodges picked this very lovely blue (Pantone 2925) that has never been used for any of the previous twenty-six catalogues in the collection inaugurated in 1993. He explained his choice in the following terms: "Blue is significant to me. I associate it with the sky, with infinity, the blessed Virgin, boyhood and water. It has mystical attributes and meaning for me. It's a soft infinity, a warmer distance, a poetry constant and insistent. When I was first starting out and finding 'my voice', I was trying to make and keep my work personal. A fondness for the colour blue from my boyhood was an easy beginning. It's a likely story actually for the blue boy that I was and still am. In *Our Lady of the Flowers*, Genet talks about 'sky blue', toy soldiers painted blue... That symbolic use of the colour inspired me as well."[1]

Who's afraid of beauty?

Jonas Storsve

1. Correspondence between the artist and author, 13 July 2009.

2. It was founded in London in 1730 by Juan Floris.

3. An edition of twelve published by the artist himself.

4. Hodges explained that the candle that carries the name of his mother, Ramona Delores, was made by a candlemaker-cum-sorcerer in Provincetown. The artist gave him a bottle of his mother's favourite perfume, "Shalimar" by Guerlain, and asked him to make a candle using it.

5. The Malmaison carnation fragrance has an obvious connection with the green carnation that Wilde and his friends liked to wear on their lapel.

A few years ago, Jim Hodges celebrated his birthday in London. One of the guests offered him a present that turned out to be more meaningful than he could have imagined. It was a bottle of Malmaison cologne for men by the famous retailer Floris of London.[2] In 2008 the artist made a multiple, *Double portrait, The Artist and his Mother, May 2008*,[3] featuring a 100-cl bottle of Malmaison cologne and a white candle in a transparent glass holder. Whereas the candle, which evokes the Catholic church and the Holy Virgin, clearly represents Hodges's mother, who died in the spring of 2006,[4] at first glance the perfume seems rather incongruous and requires further examination. As it turns out, Malmaison was Oscar Wilde's favourite perfume.[5] The writer was born on the same day as Hodges, he too of Irish origin. The two also had a Catholic background and their homosexuality in common.

Jim Hodges was born in Spokane, Washington on 16 October 1957. He graduated in 1980 with a fine arts degree from Fort Wright College in Spokane. In 1983 he moved to Brooklyn and continued his studies at the Pratt Institute, where his first one-person exhibition was held, a Master of Fine Arts thesis exhibition, in 1986. Between 1984 and 1993, he also worked for the Nancy Hoffman gallery, which opened in Soho in 1972. Not long after he graduated, Hodges met

13

6. Elaine Dannheisser, born Hanfling (1923-2001), was a very well-respected New York art collector who kept and displayed her collections in a Duane Street building in lower Manhattan. In 1953 she married Werner Dannheisser and the couple began collecting artworks. Their taste progressed quickly from Picasso and Léger to Dubuffet, Rauschenberg and Agnes Martin. In the early 1980s Elaine Dannheisser took an interest in neo-Expressionist and graffiti artists only to sell off their works a few years later, deeming the standards of both movements too low. She then turned her attention to artists the likes of Robert Gober, Felix Gonzalez-Torres and Matthew Barney. She gave many important works to the MoMA. In the obituary that appeared in the *New York Times* on 30 October 2001, Roberta Smith noted that Jim Hodges was one of her few artist friends.

7. "You Ornament the Earth. A Dialogue with Jim Hodges by Ian Berry," in *Jim Hodges* (Saratoga Springs: The Frances Young Tang Teaching Museum and Art Gallery at Skidmore College, 2003), 8-10.

8. It was a work consisting of tin boxes surmounted by photographs illuminated by lamps.

9. The work was accidentally destroyed.

10. Dutch painter (1682-1749) specialized in representations of flowers.

11. The Fifth Avenue store, which shut down in 1990, was located at the spot where Donald Trump built the Trump Tower. Jasper Johns, Robert Rauschenberg and Andy Warhol had all designed shop windows for the store. See *I Remember Heaven. Jim Hodges and Andy Warhol*, exhibition catalogue (St. Louis: Contemporary Art Museum, 2007), 48.

Elaine Dannheisser,[6] who offered him a studio in exchange for a few hours work a week for her contemporary art collection. He kept this studio for nine years. The proximity of the works in the Dannheisser collection, Hodges noted in an interview, allowed him to unlearn everything he'd been taught in art school when he studied painting, thereby giving him a sense of renewed freedom.[7] One of Christian Boltanski's works had a particularly profound effect on him.[8]

His first mature work, *One*,[9] which explored the possibilities of taking drawings off the wall, dates to 1987. He stapled together charcoal drawings to form a cylinder and simply placed it on the floor. To see the entire work, viewers had to walk around it, thereby becoming an integral part of the piece. The same concerns were evident in *Arranged* (cat. 25), a book of reproductions of flower compositions, several pages of which are gently folded to recreate a new bouquet in three-dimensional space. This piece, which belongs to the art of sculpture, offers a contemporary rereading of the sumptuous floral still lifes of the likes of Jan van Huysum[10] and it masterfully demonstrates Hodges ability to redefine and expand the art of drawing and push it to its outer limits.

If innovative formal experimentation with unusual materials has consistently characterized the artist's work, he has also been steadfast in exploring his great subjects of preoccupation: nature, beauty, love, sexuality, and death, with the fragility of life often evoked, as in *Arranged*, in the vanitas genre practised in art since the Middle Ages.

The formal radicality of his early works is impressive. *Good Luck* (cat. 1), a ski mask twisted into a grotesque expression, is simply tacked in a corner from where the anonymous gaze scans the room. *Deformed* (cat. 2) is a paper shopping bag from the famous New York department store Bonwit Teller,[11] cut in the shape of a cross – an ancestral form that evokes in the simplest way possible a human body, which seems, in this case, to be covered in floral tattoos. The presence of the human body is also evident in the two drawings made from wax and makeup foundation (cat. 5 and 6). In one, a tear in the "skin" is even sutured with thread. The two drawings date to the same period as *Flesh Suspense* (1989-1990), a "painting" also made with makeup,[12] that is simultaneously pierced and held by metal hooks. The contained violence of these works calls to mind the representation in Western art of Saint Sebastian, entreated during the Renaissance to intercede against the plague. Hodges made these works during the dark days when so many people were losing their lives to AIDS – a time when the image of Saint Sebastian as the patron saint of plague victims could take on new meaning.

The human body, and particularly the skin, is also evoked in several drawings in which Hodges explores the formal and metaphorical possibilities of adhesive tape (cat. 3, 7 and 10).[13] This easily degradable, limited-life material is freed from its utilitarian function and sublimated in compositions that herald already the themes of his work in the 1990s, notably the spiderwebs and flowers that had made their first appearance in *Deformed* in 1989.

The tacked *Wanted Posters* (cat. 8 and 9), more sensual and not as dark, were not seen by the general public until 2007 when CRG gallery exhibited them in New York[14] with other works from the same period. In them, Hodges takes up the world of Westerns, and their highly coded iconography of the male world, in particular, in a manner that calls to mind the tradition of trompe-l'œil painting. The blank posters could serve as surfaces for the projection of potential sexual fantasies.[15] This aspect is emphasised by the strongly physical and corporeal character of the knots in the wooden board. If the wood can be read as a metaphor for the male body, the poster, fastened with big cast nails, seems to function like a piece of clothing flaring up to uncover the naked body underneath. At the same time, Hodges directly incorporated his own organism into his drawings in a highly erotic and even more penetrating gesture in a printing technique of his own devising: he used his own saliva to transfer an ink drawing to paper. After drawing the design, he'd lick it until the paper was damp enough to leave an impression on another sheet. By and large, the early works of this type were small in format (cat. 12) (aside from the large drawing in the Whitney Museum of American Art – cat. 11) and featured floral patterns, spiderwebs, chains or automatic scribbles. When he started using this technique again in 2006, the format and content had changed considerably. In a tribute to his deceased mother, *Oh For Crying Out Loud* (cat. 45), he expressed his deep sadness and pain in ornamented letters reminiscent of letters from a medieval book of hours. One finds oneself wondering whether the artist did not in fact use his tears to transfer the drawing instead of saliva.

The presence of love is ubiquitous in his work. The word itself appears regularly (cat. 15, 20 and 35) as do hearts (cat. 28 and 33). In one work, cut-out letters that seem to have been carelessly thrown on the sheet of paper can be put together to spell "JIM LOVES T" or "TIM LOVES J", without one excluding the other.[16] *Untitled (Eagle and Butterflies)* (cat. 14) is a delicate poetic twin portrait of the artist and his

12. Witness also in this context *Un mètre carré de rouge à lèvres* made by Fabrice Hyber in 1981 (collection FRAC des Pays de la Loire, Carquefou).

13. *Untitled*, 1989, *Sketch*, 1990, and *Web Chainflower*, 1991.

14. Solo exhibition at the Art Dealers Association's art show.

15. As part of a group show in California in 1994, the artist put a classified ad in several specialised journals in San Francisco showing a picture of himself undressed (a print made with the Fabric Workshop and Museum of Philadelphia), with his first name and a telephone number (his studio's).

16. Jim Hodges's partner at the time was the photographer Tim Hailand.

great friend Felix Gonzalez-Torres.[17] In the mural *He and I* (1998)[18], two partially overlapping identical circles in different colours form another twin portrait, celebrating, in the tradition of so many artists before him, a relationship of love.[19]

Hodges' art of drawing often extends beyond the traditional sheet of paper to develop in space. This is the case notably in the works in which he explored the spiderweb motif. He produced many versions of these starting in 1991, at about the same time as Vija Celmins took up the same subject.[20] His most complex spiderwebs call to mind Eva Hesse's work, particularly her last unfinished big installation, *Untitled*, 1970.[21] Spiderwebs are traditionally associated with notions of melancholy,[22] age or decline, but Hodges's metal chain webs (made of steel, copper or silver) are of a different nature altogether. Whereas the webs spun by spiders evoke dirt and dust, his are made from elements of jewellery and hardware, and suggest at once beauty and constraint. When they were initially displayed at group exhibitions, they were mounted in the least visible, most fitting place for spiderwebs: closets and ceiling corners. They were sometimes combined with other sculptural elements, such as a leather jacket[23] or a garland of artificial flowers.[24] This changed their character and enhanced their visibility and presence. *Hello, again* (cat. 22), a work of exemplary simplicity, will be placed near two drawings featuring spiderwebs, also from 1994. In *Chained* (cat. 20), letters formed by chains are connected by spiderwebs to spell the word "Love", all of which is drawn in blue ink. In *No More Dreams / In Real Time* (cat. 21), small chain webs fill in the empty spaces of the paper. There is a sensual and violent aspect to these works that is palpable, even in the drawings. Hodges first solo exhibition, held at the CRG gallery[25] in New York in 1994, presented an ambitious body of work composed of a great many paper napkins, simply pinned to the wall, on which he had drawn flowers. These napkins, picked up by Hodges whenever he went to a coffee shop in New York City, were often covered in stains, which spoke of their everyday use, and yet were magnified by the new status given to them by the artist. Each represented a unique moment and formed, as its title states, *A Diary of Flowers* in which every moment of life counts.

As a young man, Hodges was an avid reader of Jean Genet, and particularly fond of *Our Lady of the Flowers* and *The Miracle of the Rose*. These two books – the most poetic in the French author's output – left a strong impression on him. Flower symbolism pervades Genet's writing, which surely explains to a certain extent their strong presence in Hodges's work: flowers drawn on napkins, artificial flowers, dis-

17. Born in 1955, the Cuban-born American artist died in 1996 from AIDS.

18. A double portrait of the artist and his companion at the time, Craig Ducote.

19. For example, Pieter Paul Rubens, *Self-portrait with Isabelle Brandt* (1609, Alte Pinakothek, Munich) and Rembrandt Harmenszoon van Rijn, *Self-portrait with Saskia* (1635, Gemäldegalerie, Dresden).

20. *Web*, 1992 (Dallas, collection Robert K. and Marguerite Hoffman). See Jonas Storsve, "Looking at drawing," *Vija Celmins, Dessins/Drawings* (Paris: Éditions du Centre Pompidou, 2006), 19.

21. In the collection of the Whitney Museum of American Art, New York.

22. See the wood engraving by Caspar David Friedrich, *The Woman with the Spider Web between Bare Trees*, 1803-1804.

23. *No One Ever Leaves*, 1992 (private collection).

24. *A Model of Delicacy*, 1992 (private collection).

25. Located at the time on East 71th Street, right near the Frick Collection.

sembled flowers, pinned or rearranged to form garlands or curtains. Hodges began using artificial flowers early in his career. He explained in an interview that he had stopped using colour when he stopped painting and that colour came back into his work via artificial flowers.[26] Already in *A Model of Delicacy* (1992), which combined a small garland of silk flowers with thin chain spiderwebs, he began experimenting with materials that are by no means noble. This experimentation led to the two series of works most characteristic of Hodges's output: pinned flowers and flower curtains.

With *A Dizzying Succession* (1993),[27] the artist inaugurated an important series of installations made simply by pinning disassembled fabric petals to the wall. They form small picture-size works like *Our Day* (1993)[28], composed of less than 200 components or monumental installations of more than a thousand pieces[29] covering entire walls, which resemble maps of an archipelago made by a people of mariners and flower lovers. The arrangement of these diaphanous metaphorical evocations of life and death is, like *Changing Things* (cat. 26), decided once and for all in the artist's studio, and can only be installed according to extremely detailed instructions.

When Hodges was invited to do a project with the Fabric Workshop and Museum in Philadelphia,[30] he brought a piece of fabric made of awkwardly sewn artificial flowers. The Pennsylvania institute used its technical expertise to help him make huge curtains, bigger than the space they were designed for. The multicoloured *Every Touch* (cat. 23), whose petals are randomly assembled, was the first in a series of 10 curtains, the last of which dates to 1999. Single-coloured curtains include *Already Here, Already There* (1995) in white and *The End From Where You Are* (1998)[31] in black. The last curtain to date, *Where Are We Now* (1999),[32] is multicoloured like the first, but dominated by shades of pink. It goes without saying that *In Blue* (1996),[33] created upon Felix Gonzalez-Torres's request and in his memory, is basically blue. "In 1995, after seeing an installation of mine at CRG gallery where I showed an all white flower curtain Felix turned to me and said, '...oh Jimmy it's so beautiful! Can you do it in blue?'" Hodges recalled. "I made *In Blue*, in the late winter of 1996, a few months after Felix had died. My mom came and spent a week with me in my apartment in New York sewing it. It was the only time she ever visited me on her own, away from my dad and grandma, her normal travelling companions. She came specifically to make *In Blue*. Obviously all this and everything implied in this brief history is contained in the colour

26. "You Ornament the Earth…," *op. cit.*, 14.

27. Private collection, Texas.

28. Featured on the cover of the exhibition catalogue *Beauty Now*, organised by the Hirshhorn Museum and Sculpture Garden in Washington D.C. in 1999, and now in a private collection in Paris.

29. For example, *This Way In*, 1999, in the Hirshhorn and Sculpture Garden collection, Washington D.C., comprises 1,046 components.

30. Jim Hodges had gone with his friend Felix Gonzalez-Torres to the opening of the latter's exhibition at the Fabric Workshop and Museum in 1994. On this occasion, he met the director, Marion Boulton Stroud, who invited him a few months later (see "You Ornament the Earth…," *op. cit.*, 13).

31. In the collection of the Museum of Contemporary Art, Chicago.

32. Carlos and Rosa de la Cruz collection, Miami.

33. This work was a gift to the Cleveland Museum of Art by Agnes Gund.

34. "You Ornament the Earth…," *op. cit.*, 14, and correspondence between the artist and the author, 13 July 2009.

35. "Animals tend to be coloured darkest on those parties of their bodies that tend to be most exposed to the sun's light, and coloured lightest on the parts of their bodies that are mostly in the shadow […]. Such a phenomenon […] often renders the animal invisible. […] The employment [in the coats of many animals] of strong arbitrary patterns of colour [tends] to conceal them by destroying their continuity of surface and thus obscuring the contour of their shape." Abbott Thayer, as cited by Brenda Richardson in her excellent article "Hiding in Plain Sight. Warhol's Camouflage," *Andy Warhol, Camouflage*, exhibition catalogue (New York: Gagosian Gallery, 1998), 13.

36. Jim Hodges, "You Ornament the Earth…," *op. cit.*, 15.

37. In 1986, a year before he died, Warhol produced a significant body of camouflage paintings and prints. The most important, no doubt, were the *Self-portraits with Camouflage*. See *Andy Warhol, Camouflage, op. cit.*

38. Reproduced in *Jim Hodges* (Saratoga Springs), *op. cit.*, 7, and described by Susan E. Cahan in her introduction to the catalogue *I Remember Heaven…, op. cit*, 13-14.

39. *Ibid.*, reproduction 36-37.

blue for me. Blue holds the most emotion for me. It can hold a lot!"[34] Suspended in space, these huge lush cascades of lace celebrate the transformation of an ordinary, vulgar material into sheer beauty.

The importance vested in nature is another constant in Jim Hodges's work. It may very well find its most radical expression in his work on the camouflage motif, culminating in the mural *Oh Great Terrain* (cat. 41). As Jim Hodges notes, the modern camouflage motif emerged from the work of American painter and naturalist Abbott Handerson Thayer (1849-1921), who wrote a book on the sophisticated principles of concealing coloration that he had observed in animals during his years of research in nature.[35] Hodges explained his attraction to camouflage as a manmade depiction of nature. "He (Thayer) made this observation about animal concealment and went on to render nature in this simple reduced pattern of shadows – light and dark. I enjoy working with this source, which is nature, and then with the issues that have been layered on it politically and culturally. I like loaded materials."[36] The idea that human beings can be at one with nature seems to be contained in Hodge's use of the camouflage motif, which calls to mind the great American poet Walt Whitman whose *Leaves of Grass* figures prominently in the artist's library of books.

Oh Great Terrain was exhibited for the first time in 2002 at the CRG gallery in New York. Over it, he placed a photograph of a plane tree trunk that highlighted the troubling similarities between the bark and the mural painting. Purchased by the collector Glenn Fuhrman, it was recreated for his personal exhibition space in Manhattan, before being presented in 2007 at the Contemporary Art Museum St. Louis in the exhibition "I Remember Heaven. Jim Hodges and Andy Warhol."[37] Besides Warhol was at the origin of Hodges's very first work with a camouflage element in it, *Untitled* (1988).[38] In *Into the Stream IV* (2006),[39] Hodges applied the camouflage motif to a mirror, thereby blurring the viewer's image and blending it into the surroundings. In the late 1990s, he returned to this theme in his big works composed of shattered pieces of mirror on canvas. The myth of Narcissus (whom Ovid brings back to life in the form of a flower after he drowns, attracted by the reflection of his own image in the water) is clearly not unrelated to this group of works, the most important of which, according to the artist, is in the collection of the Frac des Pays de la Loire (cat. 27). In spring 2008, Hodges took his investigations of the camouflage motif to its highest pitch in four big murals displayed at the Stephen Friedman gallery in London. He deconstructed a huge piece of camouflage fabric

40. The only one-person Hodges exhibition in France to date was organised by Galerie Ghislaine Hussenot, Paris, 20 September to 17 October 1997.

41. Jim Hodges composed the poem on a flight from Los Angeles to New York in 1996. Correspondence between the artist and author, 14 July 2009.

42. A postcard of a nearly identical format to the original reproducing this drawing is included as a bookmark in this catalogue.

43. As of this printing, there are 39 newspapers in the series: *The New York Times*, *The Guardian* (London), *Le Monde* (Paris), *Al Nahar* (Beirut), *Yediot Aharonot* (Tel Aviv), *Folha* (São Paolo), *Clarín* (Buenos Aires), *El País* (Spain), *Neue Zürcher Zeitung* (Zurich), *Asahi Shimbun* (Tokyo), *Irish Times* (Dublin), *San Francisco Chronicle*, *El Nacional* (Caracas), *Gama Cuba* (Havana), *The Province* (Vancouver), *Los Angeles Times*, *Dawn* (Karachi), *The Star* (Johannesburg), *Nanfang Daily* (Shanghai), *Reforma Córazon De México*, *Kantipur* (Nepal), *Il Gazzettino* (Venice), *Berliner Morgenpost* (Berlin), *The Gleaner* (Kingston, Jamaica), *Il Lunedì della Reppublica* (Rome), *Dagens Nyheter* (Stockholm), *The New Times* (Kigali), *De Volkskrant* (Amsterdam), *De Morgen* (Belgium), *Ta Nea* (Athens), *El Nacional* (Saint-Domingo), *Prensa Libre* (Guatemala), *The Beijing News*, *El Comercio* (Quito), *The Belfast Telegraph*, *Al Riyadh* (Saudi Arabia), *El Diario de Hoy* (San Salvador), *Al Arab Al Yawm* (Amman), *Attelahat* (Tehran).

44. Jim Hodges already used this phrase in 2000 for a small three-dimensional drawing *Don't Be Afraid* (private collection, San Francisco).

by cutting it and reassembling the pieces according to colour. These works, whose dimensions are modelled on the archetypal paintings by Jackson Pollock and his contemporaries, form powerful monochrome abstract compositions in the great tradition of the heyday of American abstract expressionist painting.

Jim Hodges's taste for poetry clearly surfaces in his work through his use of words. Often they constitute the very content of his drawings. This is the case for the four letters of "Love" in *Chained* (cat. 20) or the three sheets from 1998 (cat. 30-32) picking up onomatopoeias – bits of sounds heard on a trip to Paris for an exhibition[40] – or the collages of scores, like *Untitled (Love)* (cat. 35), comprising fragments of music that include the word "Love", or *Untitled (Colour)* (cat. 36), comprising fragments with names of colours. No doubt the pinnacle of his work on language was reached in the sumptuous great poem *Slower Than This*[41] (cat. 37), made of six panels, each letter of which is a cut-out of a colour photograph. A much more modest example is the small page (cat. 16)[42] itemising, in the manner of a shopping list, the different relationships that a man can have with another person: "brother, friend, lover, cousin, husband, pal, companion, partner, mate."

Jim Hodges knows how to transform humble ordinary materials but he also knows how to use such rare, noble materials as gold leaf. In 2004, he began making floral motifs in gold leaf and then in 2005 he started his series with the generic title *The Good News*, in which he covers every recto-verso page of one issue of a newspaper from every country in the world. After *The New York Times*, he did this with *The Guardian*, *Le Monde* (cat. 44), *Al Nahar* (Beirut), *Yediot Aharonot* (Tel Aviv)… These newspapers were brought back to him by friends.[43]

Another expression of this generous, humanist vision that aims to include the entire world was *Don't Be Afraid*, a collective project made in 2004 for the Worcester Art Museum. With the help of delegates at the United Nations, he received handwritten translations of "Don't be afraid"[44] in 69 languages. These were displayed on a huge panel in the museum as well as on T-shirts and postcards.

Clearly Jim Hodges is not afraid of beauty, but just as clearly his main concern is ethical not aesthetic. It is not for the love of beauty that he does his work but for the beauty of love.

Translated by Gila Walker

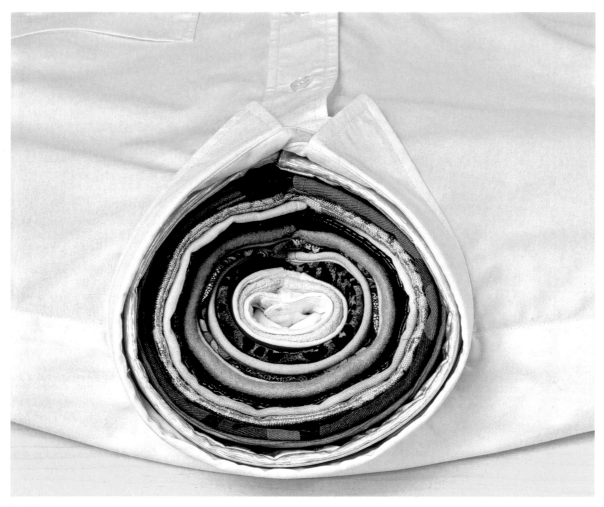

Landscape, 1998 (détail)

Parties du monde – Jim Hodges

Colm Tóibín

Baldy avait ordonné à Malik de signaler à ceux qui lui achetaient des cartes téléphoniques qu'il vendait aussi des téléphones portables dans une mini boutique d'une rue adjacente et dans un magasin mieux fourni qui proposait tous les modèles les plus récents. Malik était allé quelquefois à ce magasin pour jeter un coup d'œil aux vitrines de part et d'autre de l'entrée. Il avait remarqué la lumière brillante des spots et la beauté lisse, parfaite, des appareils exposés.

Pendant ses heures de travail, chez le coiffeur pour hommes des Four Corners où il balayait le sol et vendait ses cartes téléphoniques, il rêvait que ses deux poches, tels deux poumons, faisaient partie de lui – celle qui contenait les cartes, et celle qui contenait l'argent. À la fin de la journée, il disait à Baldy combien de cartes il avait vendues, et combien d'argent il avait récolté. Il n'y avait pas de problème avec l'argent. Les comptes étaient toujours bons. Parfois, il disait aussi à Baldy qu'il avait orienté des clients vers la mini-boutique ou vers le magasin, mais parfois seulement, car Baldy pouvait s'énerver si on parlait trop. Il valait mieux se contenter de répondre à ses questions.

Un soir à la maison, Mahmoud lui demanda s'il préférait à l'avenir récupérer ses chemises suspendues à un cintre plutôt que pliées. Malik acquiesça en pensant que ce ne serait peut-être pas plus mal, car ainsi on ne verrait plus les marques de plis. Baldy ne remarquait sans doute pas ce genre de détails, mais comment savoir. Et puis Malik aimait bien Mahmoud, et comme celui-ci lui proposait ce service gratuitement, il valait peut-être mieux accepter. Mais la semaine suivante, il fut surpris en rentrant un soir de découvrir toutes ses chemises enfilées les unes à l'intérieur des autres sur un seul cintre pendu au crochet au-dessus de son lit. Il avait imaginé que chaque chemise aurait le sien. Il les observa. Chaque chemise avait été soigneusement boutonnée. Il tâta les tissus, examina les couleurs, remarqua les différences de forme d'un col à l'autre. L'espace d'un instant, il pensa que ces chemises étaient comme des personnes, des fantômes amis, des inconnus ou des compagnons singuliers, puis il s'aperçut que non, elles lui ressemblaient toutes, ou plutôt, elles étaient des parties de lui associées à tel ou tel jour. Pliées, ce n'étaient que des chemises, semblables à celles de n'importe qui, mais ainsi embrassées et suspendues au-dessus de son lit, on eût dit des épaisseurs de sa propre peau, des éléments de son moi intérieur ; elles savaient ce qu'il avait vécu au moment où il les portait et à présent, propres et repassées, elles portaient déjà inscrits en elles les événements des jours à venir.

Une nuit, il échoua à trouver le sommeil car Adam, qui occupait le lit en face du sien, n'arrêtait pas de tousser. Il se demanda comment faisaient les autres pour dormir malgré le bruit. Ou peut-être ne dormaient-ils pas. À certains moments, Adam reprenait son souffle, sa respiration devenait sifflante, puis venait un temps d'accalmie et une nouvelle quinte de toux commençait. Malik se demanda si Adam était fumeur et essaya de l'imaginer avec une cigarette ; mais de tous les coiffeurs Adam était le plus attentif, le plus concentré sur son travail, à tel point qu'il levait rarement la tête pour regarder au dehors, ne sortait jamais dans la rue sans raison et ne participait guère aux conversations, sauf de temps à autre pour demander qu'on change la musique. Il était impossible d'imaginer Adam prenant le temps d'une pause cigarette. D'un autre côté, pensa soudain Malik, Adam était le plus âgé d'eux tous, peut-être avait-il fumé par le passé ou abîmé ses poumons d'une autre manière, ou alors c'était juste une bronchite passagère qui paraissait pire qu'elle ne l'était à cause de son âge. Malik essaya de deviner quel âge pouvait avoir Adam, mais c'était difficile ; peut-être dans les quarante ans, par là.

Comme la toux persistait, Malik sortit silencieusement de la chambre et descendit à la cuisine où il trouva dans le réfrigérateur une carafe d'eau glacée. Il remplit un verre, remonta sur la pointe des pieds, s'approcha du lit d'Adam et lui murmura qu'il lui apportait un verre d'eau. Il vit alors qu'Adam était en sueur et comprit qu'il avait de la fièvre. En voulant prendre le verre, Adam effleura sa main et la serra brièvement pour le remercier. Puis il se redressa et but. Tout en l'écoutant déglutir, Malik se demanda ce qu'il devrait faire quand il aurait fini, récupérer le verre ou laisser Adam le poser sur le sol. Il murmura qu'il pouvait retourner chercher encore de l'eau. Adam ne répondit pas, mais serra son bras. Sa main descendit jusqu'à toucher sa cuisse et frôla presque ses parties intimes en se retirant. Ça n'avait duré qu'une seconde mais Malik retourna à son lit avec une sensation de chaleur et de bien-être plus intense que si Adam lui avait parlé. Il s'endormit rapidement ; au matin, quand il entendit l'un des autres dire qu'Adam était trop malade pour aller travailler, il sentit qu'une complicité les unissait, qu'il s'était passé quelque chose entre eux cette nuit-là.

Le lendemain, il attendit l'heure de sa pause déjeuner et retourna à la maison d'un pas rapide. En ouvrant la porte de la chambre, il vit qu'Adam dormait. Adam était plus grand que les autres, presque trop grand pour son lit, ses pieds émergeaient des draps. Ses pieds étaient anguleux, constata Malik, et ses orteils osseux. Il s'assit sur son propre lit et contempla Adam. Celui-ci ouvrit enfin les yeux, mais ne sourit pas. Il paraissait harassé, à bout de forces, et lorsqu'il changea de position sous le drap, Malik crut voir une expression de détresse sur son visage. Il lui demanda si ça allait. Adam hocha la tête. Ce fut tout. Malik n'insista pas. Il descendit à la cuisine et revint avec la carafe d'eau et un verre.

En touchant le bras d'Adam, il s'aperçut que la literie était humide de sueur. Adam avait besoin de changer de draps et aussi de pyjama. Malik savait où Mahmoud rangeait les draps de rechange, mais il n'avait aucune idée de l'endroit où il pourrait trouver un pyjama propre. Adam ne bougeait plus, le simple effort d'ouvrir les yeux semblait l'épuiser ; Malik sortit. À l'étage inférieur, là où Mahmoud repassait le linge, il dénicha deux draps une place, et un de ses propres caleçons qui venait d'être lavé. Au passage, il récupéra une petite bassine en plastique dans la cuisine et monta le tout à l'étage. Il remplit la bassine d'eau froide dans la salle de bains et la rapporta dans la chambre, avec une éponge.

Adam avait toujours les yeux fermés. Malik s'approcha du lit et posa la bassine sur le sol. Il s'agenouilla et déboutonna en silence la veste de pyjama d'Adam en murmurant qu'il allait le laver. Adam ne protesta pas lorsque Malik commença à éponger son torse ; puis Malik le fit asseoir, lui ôta la veste et passa lentement l'éponge sur ses épaules et sur son dos. Adam gardait les yeux fermés. Son expression suggérait une légère souffrance. Il avait les épaules larges. Son dos offrait une surface lisse et brillante interrompue par le renflement de l'épine dorsale. Malik le tenait par l'épaule, et la chaleur qui se communiquait de l'épaule d'Adam à sa main lui donna le désir de rester ainsi le plus longtemps possible.

Il ignorait si Adam lui permettrait de baisser le drap pour lui laver le ventre et le bas-ventre. Mais Adam restait inerte, comme s'il ne sentait rien ou comme si cela lui était égal. En ouvrant le bouton de son pantalon de pyjama, Malik fut surpris de voir qu'il bandait. Il leva anxieusement la tête mais Adam gardait les yeux fermés, sous l'effet de l'épuisement mais aussi, sembla-t-il à Malik, d'un mélange de gêne et d'autre chose dont il ne pouvait être certain. Il continua de le laver délicatement, souleva son sexe de sa main gauche et l'épongea ainsi que le sac, dessous, et la peau tout autour, qui était couverte de poils noirs et drus. Malik glissait de fréquents regards vers la porte, à l'affût du moindre bruit de pas. Il était certain d'être seul avec Adam dans la maison silencieuse, mais prêt à remonter le drap à la première alerte. Quand il retourna Adam sur le côté pour éponger ses fesses, il laissa sa main calmement posée sur son sexe. Pendant qu'il laissait l'éponge aller et venir dans le sillon, il entendit Adam retenir son souffle. Il crut qu'il allait se retourner et dire quelque chose, mais Adam ne bougea pas, même lorsque Malik le souleva un peu en s'aidant de sa main gauche, jusqu'à ce qu'il soit presque à genoux.

Il frotta les jambes d'Adam avec l'éponge et lui proposa ensuite de se lever et d'enfiler le caleçon pendant qu'il changeait les draps. Adam se redressa avec difficulté, en gémissant. Il était parcouru de frissons. Debout, la taille réelle de son sexe apparut à Malik ; beaucoup plus long que le sien, bien trop long pour le caleçon. Adam se recoucha sur le drap propre, Malik regarda son sexe une dernière fois avant de le recouvrir du deuxième drap et de lui murmurer qu'il devait retourner au travail avant que Baldy ne s'aperçoive de son absence, mais qu'il reviendrait plus tard voir s'il avait besoin de quelque chose. Il prit la bassine et la vida dans la douche, puis il emporta les draps et le pyjama d'Adam à l'étage inférieur et les laissa par terre, en vrac, à côté de la planche à repasser. Il s'en expliquerait plus tard avec Mahmoud.

Les jours suivants, Adam se rétablit et recommença peu à peu à s'alimenter, d'abord des soupes, puis des repas solides. Malik s'aperçut qu'Adam feignait d'ignorer sa présence. Avant de tomber malade, Adam avait été quelqu'un de taciturne, peu enclin à plaisanter ou même à se joindre aux bavardages du soir, dans la chambre. On le voyait souvent allongé sur son lit, les mains sous la nuque, et son attitude laissait clairement entendre qu'il préférait être laissé seul, isolé dans son monde à lui. À présent, aussi bien au travail qu'à la maison, Malik essayait d'obtenir de lui un signe révélant qu'il se souvenait de ce qui s'était passé entre eux, mais Adam le regardait le plus souvent comme s'il avait été un inconnu. Un soir en revenant du travail, Malik trouva sur son lit le caleçon qu'il lui avait prêté pour remplacer son pyjama quand il était malade. Le caleçon avait été lavé entre-temps, mais en le reniflant il perçut une vague odeur qui aurait pu être celle d'Adam. Il le rangea dans sa valise et, au cours des jours suivants, il le ressortit à quelques reprises et le renifla à nouveau.

Au supermarché où il allait pendant ses pauses et au cours de ses deux demi-journées de loisir hebdomadaire, il trouva dans la réserve plusieurs paquets de serviettes en papier. Il demanda au chef s'il pouvait en prendre quelques-unes. Dans la salle de bains ou sur son lit, le soir, pendant que les autres regardaient la télé ou écoutaient de la musique, il prenait une serviette en papier et faisait un petit dessin dessus. Au début ce n'était pas grand-chose, de simples formes, mais parfois, au cours de la journée, il lui venait une idée qui restait ensuite gravée dans son esprit. Au départ il avait voulu dessiner des brins d'herbe, ou des lignes qui avaient la forme de brins d'herbe, mais quand il lui arrivait ensuite de ressortir ces dessins et de les regarder, ils lui apparaissaient comme un résidu sans valeur du temps qu'il avait passé à penser à eux.

Un soir, il épingla un dessin au mur, à côté de son lit ; dans la finesse du trait et du mouvement, il lui sembla voir plutôt quelque chose comme un fragment de toile d'araignée. Cela le rendit presque heureux et c'était là, pensa-t-il, une sensation étrange. Il s'aperçut que pendant qu'il s'appliquait à esquisser la forme d'une toile d'araignée, il ne pensait à rien et ne se souciait de rien. Mais aussi, le fait même de travailler, d'essayer de rendre certains traits plus légers et d'autres plus énergiques, plus précis, sans en rajouter inutilement – ce travail accomplissait quelque chose en lui. C'était presque comparable à l'eau, ou aux aliments, qui n'étaient rien en eux-mêmes, juste quelque chose qu'on pouvait regarder, une combinaison de formes et d'odeurs, jusqu'au moment où ils entraient dans votre corps pour y accomplir en quelque sorte leur fonction ; ils subissaient alors des changements qui étaient intimes, mystérieux, mais qui avaient un sens.

Cette activité consistant à imprimer à l'aide d'un crayon sur la serviette en papier des marques dessinant peu à peu une toile d'araignée le tenait occupé jusqu'à l'extinction des feux. Quelquefois, les autres regardaient en passant ce qu'il fabriquait ; mais ils ne disaient rien, ou haussaient juste les épaules. On le laissait tranquille. Une ou deux fois, il songea qu'il aurait aimé montrer à Adam une vraie toile d'araignée, s'il arrivait à en dessiner une, mais il ne pensait pas que cela l'intéresserait. Peut-être pourrait-il punaiser une serviette à toile d'araignée au-dessus du lit d'Adam et peut-être cela lui serait-il égal qu'Adam s'en aperçoive ou non. La serviette serait là. Ce serait assez.

Un soir pendant qu'il comptait l'argent, Baldy leva soudain les yeux vers Malik et le regarda.

« Tu es un peu idiot, pas vrai ? »

Il le dit avec un demi-sourire, comme s'il ne pensait pas vraiment ce qu'il disait.

« Quoi ? » fit Malik. Il n'aimait pas que Baldy sorte du cadre de leur échange habituel. Il espérait que ça s'arrêterait là, que Baldy finirait de compter l'argent pour s'assurer que le compte y était avant de jeter à la ronde son habituel regard de méfiance et de défi et de s'en aller.

« Oui, toi, dit Baldy d'un ton accusateur. C'est de toi que je parle. »

Malik ne répondit pas. Il concentra son regard sur les billets de banque et attendit que Baldy ait fini son affaire.

« Bon, dit Baldy comme à lui-même. Ça suffit comme ça. Est-ce que tu sais te servir d'un téléphone portable ? »

Malik acquiesça en silence.

« Bien. Alors tu vas en vendre à compter de demain matin. Je ne veux plus te voir ici, je trouverai un autre imbécile pour balayer et vendre les cartes. Viens au magasin. Tu sais où il se trouve ? Ou tu es complètement demeuré ?

- Je sais où se trouve le magasin.

- À neuf heures. Toi. Tu sais ce que ça veut dire, "toi" ?

- Oui.

- Qu'est-ce que ça veut dire ?

- Ça veut dire "moi".

- Bien. C'est déjà un début. Tu peux rentrer maintenant. Je veux te voir là-bas demain à neuf heures. »

Baldy parti, Malik vit que les autres, dans le salon, s'étaient interrompus dans leur rangement de fin de journée et le regardaient comme si un événement grave venait d'avoir lieu. En passant devant Adam, il chercha son regard, mais Adam était très occupé à finir de dégager les oreilles d'un client et ne leva pas même la tête quand Malik sortit de la boutique.

Ce soir-là il fit un dessin sur le papier blanc de la serviette, la forme minuscule et fugitive d'une fleur, et il profita d'un moment où il n'y avait personne dans la chambre pour le punaiser au-dessus du lit d'Adam. Quand Adam arriva quelques minutes plus tard, Malik l'observa pendant qu'il cherchait sa serviette de toilette pour aller à la douche. Dès qu'il fut sorti de la chambre, Malik retira le dessin et le punaisa au-dessus de son propre lit. Adam ne l'avait même pas vu, mais il était resté au-dessus de son lit pendant quelques minutes. En regardant son dessin avant que les autres n'éteignent la lumière, ce soir-là, Malik pensa que cela avait fait une grande différence.

Le lendemain au magasin, il put constater que presque tous ceux qui venaient acheter un téléphone portable en possédaient déjà un. Son rôle, cependant, n'était pas de leur dire que celui qu'ils utilisaient était en tout point semblable au modèle flambant neuf et plus cher qu'ils venaient de repérer dans la vitrine. Souvent, seule la marque ou le numéro du modèle et la présentation différaient. Pourtant, quand les clients, seuls ou par deux, se présentaient au magasin et demandaient à voir le dernier modèle, c'était avec un sérieux extrême, et Malik devinait que pour eux, dans les mois ou même l'année à venir, rien n'allait avoir autant d'importance que cette transaction – l'échange d'un appareil en parfait état de marche contre un autre qui venait de faire son apparition sur le marché.

Tous les clients en savaient long sur les téléphones, et dans les conversations du soir, à la maison, le sujet se présentait de lui-même. Cette aura de nouveauté semblait inclure tout le monde, les clients des Four Corners, tous les coiffeurs qui travaillaient là-bas, et tous ceux qui venaient au supermarché. Tous étaient capables de discuter de marques et de systèmes comme s'ils avaient eux-mêmes participé à la conception ou à la fabrication des appareils.

Ils palpaient les modèles récents avec un respect fasciné, mais aussi avec une familiarité d'experts. Malik n'avait rien à faire, juste à laisser ses clients examiner tranquillement le modèle qui les intéressait et leur signaler le choix de couleurs disponibles. Les prix étaient clairement affichés. Il leur faisait comprendre qu'ils n'étaient pas autorisés à sortir l'appareil de son emballage tant qu'ils ne l'avaient pas payé. Par contre, ils pouvaient toucher et manipuler à volonté le modèle d'exposition, tester ses fonctionnalités, examiner la qualité des photos qu'il permettait de prendre ou essayer les touches, qui étaient peut-être un peu plus souples que celles du modèle qu'ils possédaient déjà, qui n'avait qu'un an à peine et qui fonctionnait très bien, mais qui n'était plus neuf, et qui allait donc être jeté ou donné, vu qu'il ne semblait pas exister de marché pour les portables d'occasion.

À quelques reprises il fut tenté de dire à des hommes qui entraient dans le magasin en tenue traditionnelle ou avec des chaussures éculées aux pieds qu'ils feraient mieux de dépenser leur argent en vêtements ou en souliers neufs. Par la suite il comprit que le temps que ces clients passaient avec lui dans le magasin n'avait rien à voir avec le besoin ni avec un éventuel rapport qualité prix. Leur sérieux était le même que celui des hommes, au pays, quand ils parlaient de voitures, ou de camions, ou de maisons ; la même conviction que le modèle le plus récent allait ajouter de la valeur à leur vie même, à leur réputation. Ces hommes-ci, loin de chez eux, n'auraient jamais de quoi s'acheter une voiture, ni un camion, ni une maison. Ce petit objet, ce condensé de technologie, en était venu à tenir lieu de tout cela, et réussissait en même temps à paraître plus étincelant et plus compact ; cela expliquait la sensation d'énergie intense que ces hommes laissaient derrière eux dans le magasin – celle d'un gigantesque espoir mal placé, étrangement futile en même temps, qui pouvait mettre Malik mal à l'aise pendant qu'il rangeait l'argent dans la caisse avant de remettre à un client sa facture et sa garantie et de le voir repartir avec son téléphone neuf.

L'arrière-boutique servait de réserve ; les emballages superflus étaient rangés dans un coin en attendant d'être jetés. Il y avait aussi là un miroir cassé, dont on avait simplement balayé les débris. Malik aimait bien ce bric-à-brac de choses hors d'usage – polystyrène, papier, longs rubans de plastique bleu, fragments de verre provenant du miroir. On remisait aussi à cet endroit le papier d'emballage chiffonné ou déchiré, qui ne pouvait donc plus servir ; du papier kraft ordinaire, mais aussi du papier doré destiné aux paquets cadeaux. Peu à peu, il prit l'habitude de mettre de côté une partie de ce matériau, comme s'il représentait quelque chose de précieux dont on aurait besoin dans le futur – quelques éclats de verre, quelques feuilles de papier doré et autres menus fragments, parmi lesquels un panneau de petite taille portant d'anciennes indications de prix.

En cherchant dans les rues avoisinantes, il trouva un magasin où il put acheter un petit flacon de colle. Peu à peu, sur la face vierge du panneau, il commença à assembler des motifs en utilisant du verre et des bouts de papier d'emballage doré. Les débris de verre prirent la forme de nuages chassés par le vent ; il travaillait lentement, car il ne disposait que de quinze minutes dans la journée, parfois deux fois par jour. Il découpa le papier doré en bandes semblables à des chemins, et les colla elles aussi, comme si elles étaient des parties du monde.

Des parties du monde. La formule resta gravée dans son esprit, et il la répétait souvent, se la murmurait à voix basse quand il n'était pas occupé au magasin. Il aimait penser à cela : tout ce qu'il regardait était une partie du monde. La réserve et tout ce qu'elle contenait, le panneau à présent achevé, avec le verre, le papier et la colle, le deuxième panneau qu'il avait découvert dans la réserve et qu'il couvrait à présent de fragments de papier découpé. Tout cela : des parties du monde.

Et d'autres choses auxquelles il pensait pendant la journée – les vraies toiles d'araignée, dans les coins, et celles qu'il avait tracées sur le papier, les fleurs épanouies, puis fanées, et celle qu'il avait dessinée sur une serviette, les chemises suspendues au-dessus de son lit attendant d'être portées, et les autres, qu'il avait portées, attendant d'être lavées et repassées. Et Adam dans le lit près du sien, les orteils d'Adam et ses ongles, son souffle, ses poumons, son épine dorsale, son regard qui évitait celui de Malik dès qu'il l'apercevait ; le sexe d'Adam, tout mou à présent, dans son sommeil, son odeur qui s'en allait petit à petit du caleçon qu'il avait porté.

Dans son travail avec la colle et le papier, Malik essayait aussi de capturer autre chose, qui était propre à Adam et qu'aucun mot n'aurait pu restituer, pas même un mot chuchoté à l'oreille ; quelque chose de l'espace autour d'Adam et de l'espace occupé par lui ; Malik essayait de capter le grand inconnaissable qu'étaient, en dernier recours, chaque chose et chaque être ; le même grand inconnaissable qu'il explorait la nuit, dans sa tête, en préparant ce qu'il ferait le lendemain avec le verre et le papier, avec la colle et le panneau dans les courts moments où il serait seul, entre deux clients, quand il ne serait pas occupé à leur montrer de nouveaux modèles de portables, à prendre leur argent, à s'assurer qu'ils étaient contents de leur achat, à continuer de leur sourire pendant qu'ils se détournaient de lui pour quitter le magasin. Cela le déconcertait de penser que ce qu'il ferait alors serait aussi accompli dans son mystère que l'était le monde lui-même, mais cela lui plaisait aussi, surtout quand il se réveillait la nuit, ou pendant le bref intervalle précédant le sommeil.

Texte traduit par
Anna Gibson

Parts of the World – Jim Hodges
Colm Tóibín

Baldy instructed Malik to tell anyone buying the phone cards that he also sold mobile phones from a booth in a side street and from a larger shop that had all the newest models. A few times Malik went down to the larger shop and looked at the two windows on either side of the entrance door. He noticed the lights, how bright they were, and how each model of phone seemed sleekly perfect and beautiful.

As he worked in the Four Corners barber shop sweeping the floor regularly, and selling mobile phone cards to anyone who came looking for them, he dreamed that his two pockets were part of him, like two lungs – one where the phone cards were kept and other filled with money. At the end of each day, he was able to tell Baldy how many cards he had sold and then how much money he had taken in. There was never a problem with the money. It was always exact. Sometimes, he also mentioned to Baldy that he had directed customers to the booth and the larger shop, but he was careful not to do this too much as Baldy often grew irritated if he spoke out of turn. Baldy preferred him to speak only when he was asked a question.

One night in the house Mahmood asked him if he would like his shirts on a hanger in future rather than folded and Malik said he would try that. It might be better, he thought, because no one then could see the crease where the shirt had been folded. He did not suppose Baldy spotted things like that, but he was not sure. Also he agreed partly because he liked Mahmood and felt that, since it was offered and would cost nothing more, then it might be best to accept. He was surprised a week later, however, when he came back one night to find that all of the shirts had been put on the same hanger, one inside the other. He had presumed that each shirt would be on its own hanger. He looked at them one inside each other as they hung on the hook over his bed. The buttons on each one of them had been closed. He touched the material with his finger and thumb; he studied the colours; he noticed how some of the shirts were shaped differently to others. For a second he thought the shirts were like people, ghostly friends, people he didn't know, or odd companions, but then he realized no, they were all like him, or were parts of him, different days of him. Folded, the shirts, he thought, had meant nothing, they were just clothes, like anyone else's clothes, but hanging like this one inside the other over his bed they resembled part of his skin, elements of his inside self; each one knew the story of what had happened on the days he had worn them, and, clean now, each one had written into them what would happen in the days to come.

One night he could not sleep because Adam in the bed opposite him was coughing. He asked himself how the others could manage to sleep because at times Adam's cough was rasping and loud. Maybe they were awake too, he thought. Adam seemed to gasp for breath and wheeze and then become quiet before the coughing started again. Malik wondered if Adam smoked and tried to picture him with a cigarette, but of all the barbers who worked in the shop he was the one who paid closest attention to his work, concentrated hardest on shaving or cutting hair, and seldom looked out of the window, and never stood in the street for no reason, or even joined in the conversation in the shop itself, except to ask them sometimes to change the music. It was impossible to imagine Adam taking time out for a smoke. Adam was the oldest of them, Malik realized, and maybe there was a period in the past when he had smoked, or when he had damaged his lungs, or maybe it was just a cold he had now and it seemed worse because of his age. Malik tried to think what age Adam might be, but he was not sure; he thought that he could be forty.

As the coughing continued, Malik quietly left the room and went to the kitchen on the floor below, where he found a flask of cold water in the fridge. He filled a glass from the flask and tip-toed back into the door and approached Adam's bed and whispered to him that he had brought him a glass of water. When he put his hand on him, he felt Adam's skin covered in sweat and realized that he must have a temperature. As Adam reached for the glass, he touched Malik's hand for a moment and then held it briefly as a way of thanking him. He sat up then and drank the water. Malik could hear him gulp. He did not know whether he should wait and retrieve the glass or let Adam put it on the floor when he had finished. He whispered to him that he would get him more water if he needed. Adam did not reply, but squeezed his arm and then moved his hand down and touched Malik's thigh, and almost brushed against his private parts as he moved his hand away.

It was just a second, but as Malik made his way back to his bed, the touch made him feel warm and comfortable, more than if Adam had said anything to him. Soon, he feel asleep, but in the morning, as he heard one of the others say that Adam was too sick to go to work, he felt a bond with him, felt that something had happened between them in the night.

He waited the next day until his break at lunchtime and went quickly back to the house. When he opened the door of the room, he saw that Adam was asleep. Since Adam was taller than the rest of them, almost too tall for the bed, his feet were sticking out from the sheets. His feet, Malik saw, were angular, the toes all bony. He sat on his own bed watching Adam. When Adam opened his eyes he did not smile; he seemed tired, weary, and then, as he moved, appeared as if he was in some distress. When Malik asked him if he was all right, he nodded but he still did not move. Without asking him, Makil went to the kitchen and returned with the flask of cold water and a glass.

It was when he touched his arm he realized that Adam was covered in sweat and that the sheets were almost wet. He saw that Adam needed a fresh pair of pyjamas and fresh sheets. He knew, he thought, where Mahmood kept spare sheets, but did not know how he would find fresh pyjamas. As Adam lay back, and seemed to be exhausted by the mere exertion involved in opening his eyes, Malik left the room. In the room below, where Mahmood did the ironing, he found two single sheets and, having searched, he recognised a pair of his own shorts which had been freshly washed. Having found a small plastic basin in the kitchen as well, he took these upstairs. In the bathroom, he filled the basin with cold water and found a sponge.

In the room where Adam was still lying back with his eyes closed, Malik moved towards the bed and left the basin down. He knelt and quietly opened the top of Adam's pyjamas and whispered to him that he was going to sponge him with cold water. Adam seemed to acquiesce and lay quietly as Malik began to sponge his chest; then, having made him sit up, Malik took off the top of the pyjamas and slowly sponged Adam's shoulders and back. Adam kept his eyes closed and looked as though what was happening caused him mild pain. His shoulders were broad and the skin on his back had a shiny smoothness broken by the shape of his spine. Malik found that the warmth coming into his hand from Adam's shoulder as he held it made him want to keep it there for as along as he could.

He did not know if Adam would allow him to lower the top sheet and sponge him on the stomach and around his crotch. But Adam lay there as though he did not notice or care. As Malik opened the button on bottom of his pyjamas, he was surprised to find Adam had an erection. He glanced nervously at Adam's face; he had his eyes closed partly from exhaustion, but also from a mixture, Malik thought, of embarrassment and something else, something which Malik could not be sure of as he sponged him carefully, using the left hand to lift Adam's penis to one side as he sponged it and then the sack below and the skin around covered in dense black hair. He glanced at the door and listened carefully for a footfall on the stairs, but there was no sound. He was sure that they were alone in the house, but he was ready to cover Adam quickly at the slightest hint that anyone was coming.

When he turned him to sponge the skin on his buttocks he calmly and gently kept his left hand on Adam's penis. As he moved the sponge between Adam's buttocks he could hear him catch his breath and he thought for a moment that he was going to turn and say something, but Adam remained still even when Malik used his left hand to raise him slowly so that he was almost on his knees.

He rubbed Adam's legs with the sponge and then suggested that Adam should stand up and change into the shorts while he put new sheets on the bed. Adam stood up with difficulty, moaning softly to himself and shivering. It was only when Adam was standing that Malik could see how long how the penis was, much longer than his own, he thought, and far too long for the shorts to cover. As Adam lay back down on the clean sheet, Malik looked at the penis again before putting the sheet over him and whispering that he had to go back to work before Baldy noticed his absence, but that he would be back later if Adam needed anything. He took the basin and emptied the water into the shower in the bathroom and then left the sheets and Adam's pyjamas downstairs in a pile beside the ironing-board. He would explain to Mahmood later, he thought, that he was the one who had done this.

In the days afterwards, as Adam got better, and was able to take soup and then solid food, he noticed that Adam began to ignore him. Before he was sick, Adam was often silent, seldom making jokes or contributing to the night-time conversation. He was often to be found lying on the bed with his hands behind his head, making clear somehow that he was content to be left alone, happy to remain unnoticed in his own world. A few times now, both in the barbers' shop and at night, Malik tried to make him acknowledge his presence, give some hint that he remembered what had happened between them, but Adam often stared at him as though he did not know him. One night when he returned from work, Malik found the shorts which he had given to Adam lying on his bed. They had been washed, but nonetheless when he put them to his nose he could smell something faint which he thought might be the smell of Adam. He put the shorts in his suitcase, and a few times over the next few days he took them out and smelled them again.

In the supermarket where he still went during his breaks and during his two half days free, he found several boxes of paper napkins in the store, and he asked Super if he could take some napkins. In the bathroom, or lying on the bed in the evening as the others watched tv or listened to music, he made small drawings on the napkins. At first they were nothing, merely shapes, but during the day sometimes he had an idea for a shape, an idea that stayed fixed in his mind. He wanted at the beginning to make drawings of blades of grass, or lines which followed the shape of blades of grass, but when he looked at them later, he thought they were a waste of all the time he had put into thinking about them.

He found one night, when he had pinned a drawing to the wall beside his bed, that it seemed closer, in the spindly way it moved and its delicate line, to a strand of a cobweb. Its appearance made him almost happy, and that feeling, he thought, was strange. He found, as he traced out the shape of a cobweb, that he did not think about anything else, or worry about anything. But more than that, trying to get the lines right, making some fainter than others, forcing some to be more deliberate and exact, and not putting in too many lines, seemed to complete something for him. It was almost the same way, he thought, that water or even food were almost nothing, they were just something you saw, merely a set of shapes or smells, until they were in your body, when they somehow served their purpose; they went through changes which were intimate, mysterious but which meant something.

Thus making the pen put marks on the paper of the napkin that were like the pattern of a cobweb kept him busy until the lights were turned out. A few times, one of the others looked at what he was doing in passing, but they said nothing, or shrugged, they left him alone. Once or twice, he thought that he might like to show Adam a proper cobweb if he could make one, but he did not think that Adam would show any interest. Maybe, he thought, he would pin one of the cobwebbed napkins to the wall above Adam's bed and maybe he would not care whether Adam noticed or not. The napkin would be there. That would be enough.

One evening when Baldy was counting the money he suddenly turned and looked at him.

"You're a bit of a fool, aren't you?" He was almost smiling as though he did not really mean what he said.

"What?" Malik asked. He did not like it when Baldy said anything other than the usual. He wished this could stop now and Baldy would just count the money, make sure it was correct, and then look around the room as usual in a way that was suspicious and challenging and then leave.

"Yeah, you," Baldy said, accusingly.

Malik did not reply. He glanced down at the money, hoping that Baldy would finish his business and go.

"Ok then," Baldy said as if speaking to himself, "that's enough of that. Do you know how to use a mobile phone?"

Malik nodded.

"Good. You'll be selling them from tomorrow. Don't come here in the morning. I'll get some other fool to sweep the floor and sell the cards. Come to the bigger shop. Do you know where it is, or are you a complete imbecile?"

"I know where it is."

"At nine at the dot," Baldy said. "You. Do you know what 'you' means."

"Yes."

"What does it mean?"

"It means 'me'."

"Good. That's a start. Go home now. Be there at nine in the morning." As he left, Malik noticed the barbers who were finishing up looking at him as though something grave had occurred. As he passed Adam, he tried to catch his eye, but Adam was busy, working with fierce concentration as he clipped at the hairs around a customer's ear, and he did not even glance up as Malik left the shop.

That night he did a drawing of the tiny, fleeting shape of a flower on the white paper of the napkin and, when the bedroom was empty, pinned it to the wall above Adam's bed and left it there for a few minutes. When Adam appeared, Malik watched him searching for his towel and then going to the bathroom. While he was away, Malik removed the paper napkin from the wall and pinned it to the wall above his own bed.

Adam had not even seen it, but it had hung there for a few minutes. And as he looked at it before the lights were turned out, Malik knew that that had made a difference.

Almost every single person, he noticed, who came to buy a mobile phone already had one. He knew that it was not his job to tell them that that was very little difference between the one they were already using and some new bright and more expensive model on display. Often it was just a brand name, or a number of a model, and the packaging. And yet, when his customers came in ones or twos and asked to see the latest type, there was something so serious, so earnest, about them that it was clear to him that nothing more important would happen to them in months, maybe all year, than this purchase, this exchange of a perfectly good model for a totally new one.

They all knew about phones; it was, he realized, one of the subjects for easy discussion at night. It included each of them, embraced them with newness, all the customers who came to the Four Corners and all the barbers there, and all the people who came to the supermarket. They could argue about brands and systems, as though they themselves had been involved in their manufacture or design.

They touched the new models with reverence and awe, but also expertise and clear knowledge. Malik needed only to stand back and let them study the model they were looking for and let them know what colours were available. The prices were all written down clearly. He emphasized to them that they could not take the actual phone they were going to buy out of its packaging unless they had already paid for it. They could look at a sample of it, however, hold it, test for themselves its properties, how it took photographs and how the keys maybe were slightly easier to handle than some other example only a year old, which was more or less perfect still, but not brand new, and therefore to be discarded or given away, as no one seemed interested in owning a second-hand mobile phone.

A few times he was tempted to say to men who came in shabby jeans or in traditional dress or in worn shoes that they should spend the money instead on clothes or in a shoe-shop. Their time with him, he slowly realized, however, had nothing to do with need, or value for money. It was how men at home thought about cars or trucks or houses, the same seriousness, the same sense that the newest thing would add value to their lives, add value to their reputation. These men away from home would never have enough money for a car or a truck or a house. This small object so filled with modern tricks had come to stand in for all of that, and seem shinier and more compact at the same time; this meant that there was something alive and intense about the energy men who bought new phones left behind them, some enormous sense of displaced hope, something oddly futile as well, that often left Malik uneasy as he put the money in the till and gave the customers the receipt and the guarantee before they left.

The room behind the shop was used for storage; in the corner all the packaging which had been removed was kept. He knew it was waiting to be thrown out. There was also a broken mirror; someone had swept the shards of glass into the corner. He liked all this jumble of useless things – Styrofoam, paper, long strands of blue plastic which had been used to tie the packaging, the bits of glass. There were also sheets of paper for packaging which had been torn and could not be used; some of it was ordinary brown paper, but some of it was gold, which might be used for packaging a gift. Slowly, he began to move some of this to the side, cover it and guard it as though it was valuable and would be needed in the future – some shards of glass, some gold-coloured paper, and other bits and pieces, including a small board that had old prices written on it.

He looked carefully at the stores in the streets around until he found one where he bought a small plastic container of glue. Slowly, on the side of the board where nothing had been written, he began to make patterns using the shards of glass and some of the gold-coloured packaging paper. He glued the shards down in the shape of clouds being blown across the sky; he worked slowly, knowing that he would have merely fifteen minutes each day, sometimes twice a day. And then he began to cut the gold-coloured paper into strands like paths and glue those down too, as though they were parts of the world.

Parts of the world. The phrase stuck in his mind, and he often said it to himself, whispered it under his breath when he was not busy in the shop. He liked the fact that everything he looked at was a part of the world. The storeroom itself and all it contained, the board he had finished making, using glass and paper and glue, the new board he had found and that he was covering now with different pieces of cut-out paper. All parts of the world. And other things that he thought about during the day – real cobwebs in corners, and then the ones he had made on paper, flowers blooming and fading, and then the one he had drawn on the napkin, the shirts hanging over his bed waiting to be used, and the ones that he had worn waiting to be washed and ironed. And then there was Adam in the bed close to him, Adam's toes and his nails, his breath, his lungs, his spine, the eyes which avoided Malik as he saw him; Adam's penis all soft now as he slept, his smell fading slowly from the shorts he had used.

There was something else which Malik tried to capture as he worked with glue and paper; he tried to capture a sense of Adam which no word could manage to summon up, not even a word whispered; he tried to capture a sense of the space around Adam and the space he filled; he tried to capture the great unknowable that every thing and every person was in the end; it was the same great unknowable that he tried to explore in his mind at night as he planned what he would do the next day with glass and paper, glue and board in the short time he had for himself between showing customers new types of phones, taking their money, making sure they were happy with their purchase, and smiling at them as they turned and left the shop.It puzzled him that what he would make would be as complete in its mystery as the world itself, but it pleased him also especially when he woke in the night or in the short time before he went to sleep.

Catalogue

1 *Good Luck* [Bonne chance], 1987

2 | *Deformed* [Déformé], 1989

4 | *Sans titre*, 1989

6   *A Little Extra Something*
[Un petit truc supplémentaire], 1989-1990

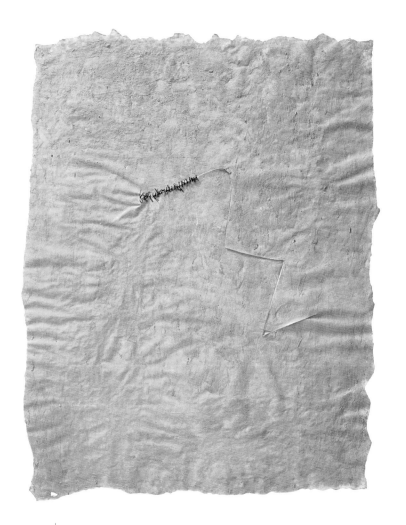

5 | *Let Me Fix It* [Laisse-moi le réparer], 1989-1990

3 | *Sans titre*, 1989   **7** | *Sketch* [Esquisse], 1990

10 | *Web Chainflower* [Toile d'araignée, chaîne-fleur], 1991

8 | *Wanted Poster 1* [Avis de recherche 1], vers 1991

9 | *Wanted Poster 3* [Avis de recherche 3], vers 1991

12 | *Sans titre*, 1992

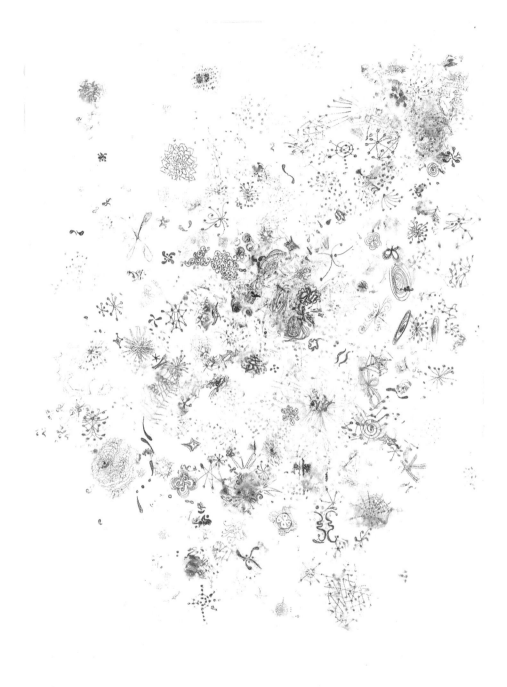

11 | *Sans titre*, 1992

24   *Brought Together in the Dark*, 1995
     [Rassemblés dans l'obscurité]

14   *Untitled (Eagle and Butterflies)*
     [Sans titre (aigle et papillons)], 1993

with.

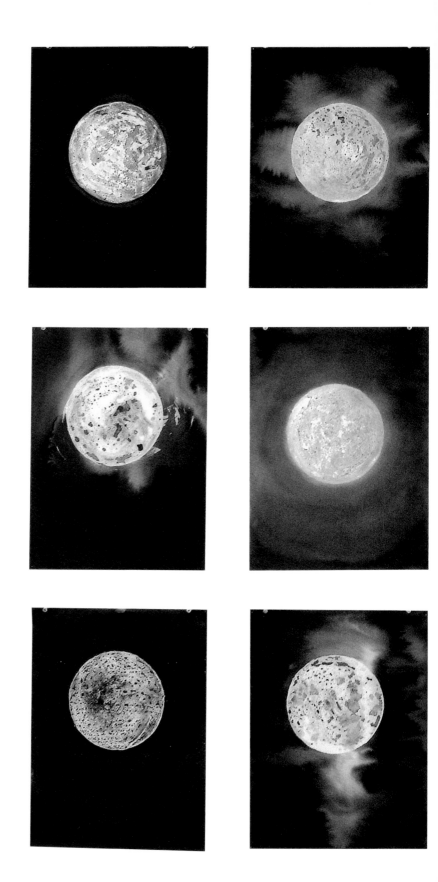

A Year of Love
[Une année d'amour], 1993

13 | *A Diary of Flowers, Seen by You* [Un journal de fleurs, vu par toi], 1992-1993 (repris / reworked 1998-2006)

20 | *Chained* [Enchaîné], 1994

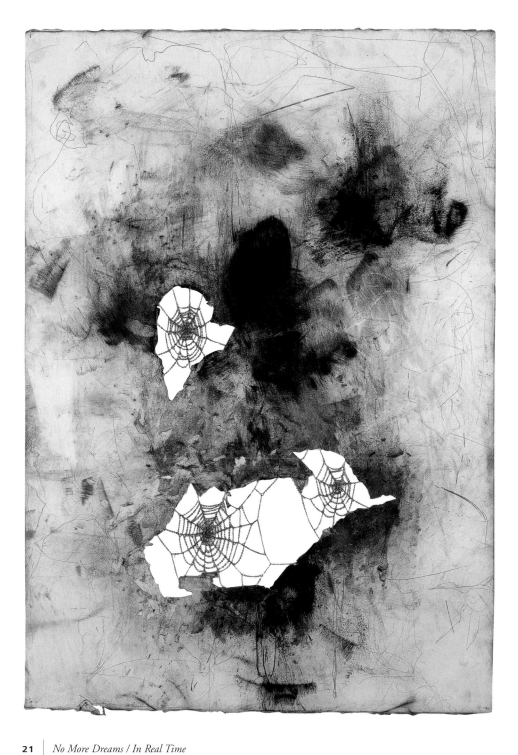

21 | *No More Dreams / In Real Time*
[Plus de rêve / En temps réel], 1994

23 | *Every Touch* [Chaque contact], 1995

Step 5: Delicate, white tuberoses subtly fill out the design. Th...um orchids e... ...design is fill......fy the color...ouquet, b......s beyond...ps fr......and ...

28 | *A Kind of Forever* [Une sorte d'éternité], 1997

33 | *Sans titre*, 2000

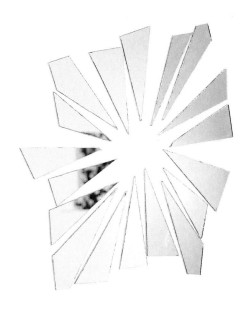

40 | *Study for Traveler* [Étude pour voyageur], 2002

| *Changing Things* [Changer le cours des choses], 1997

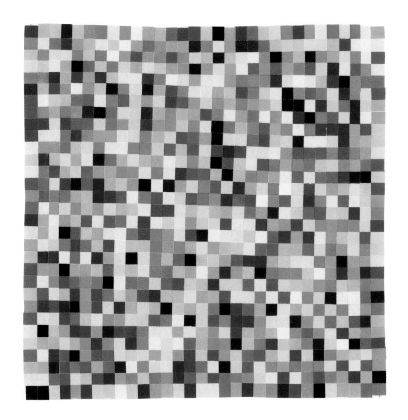

29 | *Satellite*, 1998

34 *Happy VI (The World)* [Heureux VI (Le monde)], 2000-2001

SHUWAH
SHU
SHU
HAW ooSHHH

CHEE CHEE
CHI CHI
CHOCHO
CHU!
CHEE CHEE
CHI CHI
CHOCH
CHU!

32 | *Sans titre*, 1998   **31** | *Sans titre*, 1998

30 | *Sans titre*, 1998

IT WAS A RAINY NIGHT.
IT WAS A WARM WIND
MORNING IN SPRING.
IT WAS A MOUNTAIN TOP
THE SNOW WAS BEGINNING
TO MELT.
IT WAS A SLOW SUNSET.
IT WAS L.A.
IT WAS EARLY AFTERNOON.
IT WAS RAINING.
IT HAD STARTED TO RAIN.
IT WAS A LONG TIME AGO.
IT WAS QUIET AND DARK.
IT WAS HAPPENING
ALL AROUND US.
IT HAD STARTED EARLIER
THAT DAY.
IT HAD DEVELOPED
OVER TIME.
IT HAD BEGUN LIKE ANY
OTHER DAY.

IT WAS WITH THE PASSING
OF A SINGLE BIRD
FROM TREE TO WIRE.
IT WAS SO WARM.
IT WAS LONG AGO.

IT WAS BUILDING AND
COULDN'T BE KEPT DOWN.
IT HAD STARTED A LONG
TIME AGO.
IT HAD TO HAPPEN.
IT COULDN'T BE STOPPED.
IT WAS AS IF IT WASN'T
HAPPENING.
IT WAS A BLANK SPACE,
A BLACK OUT- THE SEA-
THE SOUND OF WAVES-
ENDLESS MOTION. IT WAS
THE EARTH BREATHING,
THE SOUND OF AIR-
THE PASSING CAR-
THE TRAFFIC.
IT HAD STARTED
LIKE ANY OTHER DAY.

37 | *Slower Than This* [Plus lent], 2001

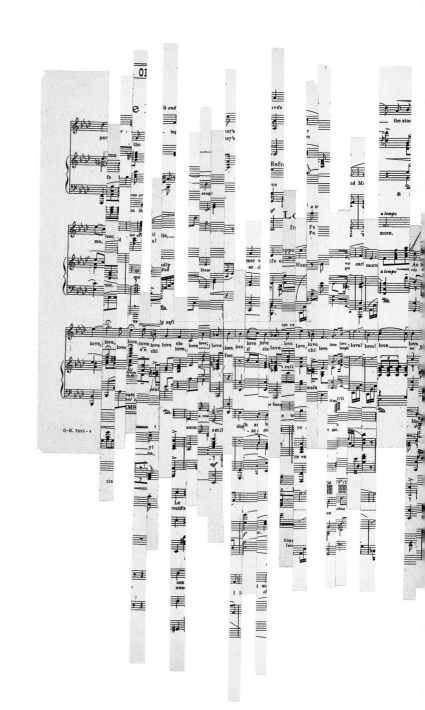

35 | *Untitled (Love)* [Sans titre (Love)], 2000-2001

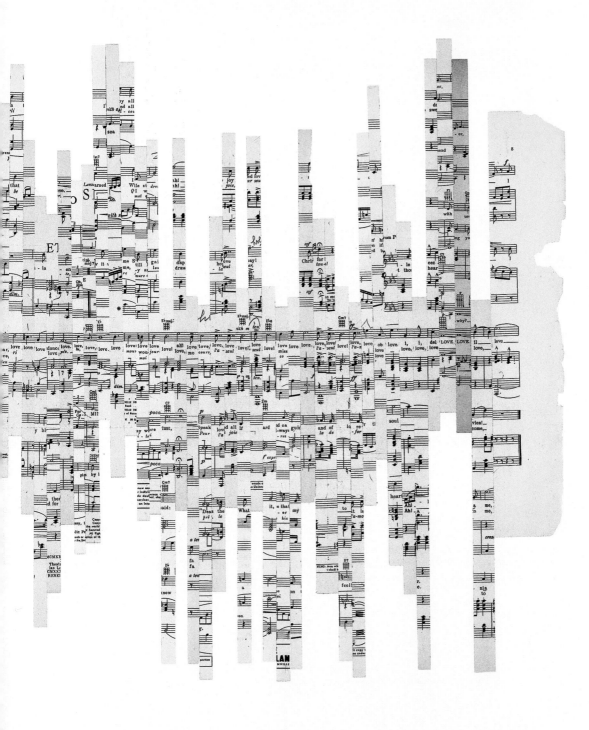

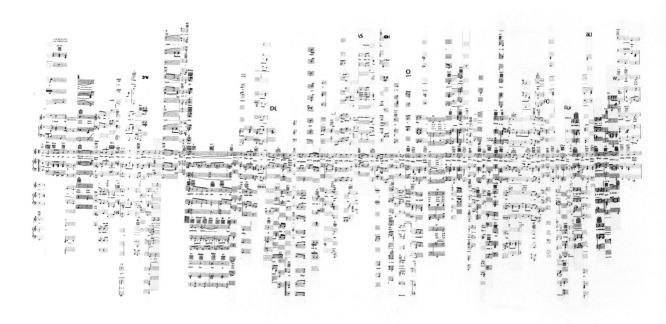

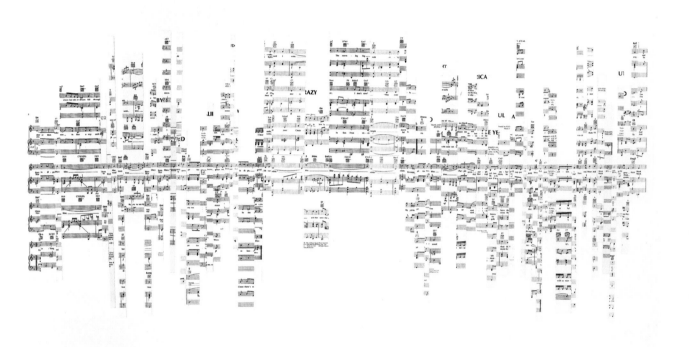

36 | *Untitled (Colour)* [Sans titre (Couleur)], 2000-2001

Pages suivantes : **41** | *Oh Great Terrain* [Ô immense terrain], 2002

38 | *Untitled-bare* [Sans titre - Nu], 2001

39 | *Where the Sky Fills in* [Où le ciel se remplit], 2002

48 | *Simple Constellation* [Constellation simple], 2007

45 | *Untitled (for Ramona D. Mary and Me!)* [Sans titre (pour Ramona D. Mary et moi !)], 2006

49 | *On the Way Between Places 8/21*
[Sur la route], 2009

50 | *On the Way Between Places 9/21*
[Sur la route], 2009

51 | *On the Way Between Places 10/21*
[Sur la route], 2009

52 | *On the Way Between Places 11/21*
[Sur la route], 2009

53 | *On the Way Between Places 12/21*
[Sur la route], 2009

55 | *On the Way Between Places 14/21*
[Sur la route], 2009

56   *Study for Blue IV* [Étude pour Bleu IV], 2009

Liste des œuvres

1 | Good Luck, 1987
[Bonne chance]
Masque de ski transformé
Altered ski mask
45,7 x 48,3 cm
18 x 19 inches in corner
Courtesy de l'artiste

2 | Deformed, 1989
[Déformé]
Sac en papier transformé
Altered shopping bag
77,5 x 86,4 cm
30 1/2 x 34 inches
Courtesy de l'artiste

3 | Untitled, 1989
Sans titre
Papier découpé et ruban adhésif transparent
Cut paper and transparent tape
66 x 50,8 cm
26 x 20 inches
High Museum of Art, Atlanta, Georgia
Purchase with funds from Lyn and
Gerald Grinstein and Museum purchase

4 | Untitled, 1989
Sans titre
Collage sur papier
Collage on paper
21,6 x 27,9 cm
8 1/2 x 11 inches
Courtesy de l'artiste

5 | Let Me Fix It, 1989-1990
[Laisse-moi le réparer]
Cire, maquillage et fil sur papier
Wax, makeup, and thread on paper
61 x 47 cm
24 x 18 1/2 inches
Courtesy de l'artiste

6 | A Little Extra
Something, 1989-1990
[Un petit truc supplémentaire]
Cire et maquillage sur papier
Wax and makeup on paper
59,7 x 44,5 cm
23 1/2 x 17 1/2 inches
Courtesy de l'artiste

7 | Sketch, 1990
[Esquisse]
Fusain, ruban adhésif et vénilia sur papier
Charcoal with tape and contact paper on paper
61 x 45,7 cm
24 x 18 inches
Pizzuti Collection

8 | Wanted Poster 1, vers 1991
[Avis de recherche 1]
Encre sur papier
Ink on paper
62,2 x 47 cm
24 1/2 x 18 1/2 inches
Courtesy de l'artiste

9 | Wanted Poster 3, vers 1991
[Avis de recherche 3]
Encre sur papier
Ink on paper
62,2 x 47 cm
24 1/2 x 18 1/2 inches
Collection Glenn Fuhrman New York,
Courtesy The FLAG Art Foundation

10* | Web Chainflower, 1991
[Toile d'araignée, chaîne-fleur]
Fusain, ruban adhésif transparent
et encre sumac sur papier
Charcoal with transparent tape
and suma ink on paper
99,1 x 64,8 cm
39 x 25 1/2 inches
Whitney Museum of American Art, New York
Purchase, with funds from the Drawing Committee

11* | Untitled, 1992
Sans titre
Encre et salive sur papier
Saliva transferred ink on paper
75,2 x 56,2 cm
30 x 22 1/2 inches
Whitney Museum of American Art, New York
Purchase, with funds from the Drawing Committee

12 | Untitled, 1992
Sans titre
Encre et salive sur papier
Saliva transferred ink on paper
30,5 x 22,9 cm
12 x 9 inches
Courtesy de l'artiste

13 | A Diary of Flowers,
Seen by You, 1992-1993
(repris/reworked 1998-2006)
[Un journal de fleurs, vu par toi]
Encre sur serviettes en papier (60 éléments)
Ink on paper napkins (60 elements)
127 x 182,9 cm
50 x 75 inches
Courtesy de l'artiste

14 | Untitled
(Eagle and Butterflies), 1993
Sans titre (aigle et papillons)
Décalcomanie sur papier
Decals on paper
40,6 x 30,5 cm
16 x 12 inches
Courtesy de l'artiste

15 | A Year of Love, 1993
[Une année d'amour]
Encre, tempera et gomme arabique sur papier
Ink, tempera, and gum arabic on paper
12 dessins de 40,6 x 30,5 cm
12 drawings @ 16 x 12 inches
Courtesy de l'artiste

marque-page / bookmark
16 | Untitled, 1993
Sans titre
Encre sur papier
Ink on paper
15,2 x 10,2 cm
6 x 4 inches
Courtesy de l'artiste

17 | Untitled, 1993
Sans titre
Papier découpé
Cut paper
38,1 x 27,9 cm
15 x 11 inches
Courtesy de l'artiste

18 | Eyes (For Traveling), 1993
[Des yeux (pour voyager)]
Encre sur papier
Ink on paper
33 x 25,4 cm
13 x 10 inches
Courtesy de l'artiste

19 | A Line to You, 1994
[Une ligne pour toi]
Fleurs artificielles (soie et plastique), fil
Silk, plastic and wire with thread
535,9 cm
211 inches
Collection Glenn Fuhrman New York,
Courtesy The FLAG Art Foundation

20 | Chained, 1994
[Enchaîné]
Encre sur papier
Ink on paper
14 x 22,9 cm
5 1/2 x 9 inches
Collection CRG Gallery

21 | No More Dreams /
In Real Time, 1994
[Plus de rêve / En temps réel]
Fusain et chaîne en laiton sur papier
Charcoal and white brass chain on paper
107,3 x 76,8 cm
42 1/4 x 30 1/4 inches
Collection particulière, New York,
courtesy CRG Gallery, New York

22 | Hello, Again, 1994-2003
[Me revoilà]
Chaîne en laiton et épingles
Brass and pins
64,8 x 53,3 x 18,7 cm
25 1/2 x 21 x 7 1/8 inches
Courtesy de l'artiste

23*** | Every Touch, 1995
[Chaque contact]
Soie, coton, polyester et fil
Silk, coton, polyester and thread
487,7 x 426,7 cm
192 x 168 inches
Philadelphia Museum of Art, Philadelphie

24 | Brought Together
in the Dark, 1995
[Rassemblés dans l'obscurité]
Stylo bille sur papier
Ballpoint pen on paper
38,1 x 30,5 cm
15 x 12 inches
Collection CRG Gallery, New York

25* | Arranged, 1996
[Arrangement]
Livre, pages pliées et trombones
Folded book with metal paper clips
33 x 16,5 x 26 cm
13 x 6 1/2 x 10 1/4 inches
Heidi L. Steiger

26 | Changing Things, 1997
[Changer le cours des choses]
Fleurs artificielles (soie et plastique), fil de fer
et épingles (342 éléments)
Silk, plastic, wire, and pins (342 parts)
193 x 376 cm
48 x 144 inches
Dallas Museum of Art, Mary Margaret Munson
Wilcox Fund and gift of Catherine and Will Rose,
Howard Rachofsky, Christopher Drew and Alexandra
May, and Martin Posner and Robyn Menter-Posner

27 | Untitled, 1997
Sans titre
Miroir brisé marouflé sur toile, contrecollé sur bois
Mirror on canvas
150 x 102 x 4 cm
59 x 40 1/2 x 1 1/2 inches
Collection du Frac des Pays de la Loire

28 | A Kind of Forever, 1997
[Une sorte d'éternité]
Vénilia sur papier
Contact paper on paper
43,2 x 30,5 cm
17 x 12 inches
Courtesy de l'artiste

29 | Satellite, 1998
Fragments de pantone de couleur et ruban adhésif
Pantone color chips with adhesive tape
50,8 x 52,7 cm
20 x 20 3/4 inches
Javier & Monica Mora Collection, Miami

30 | Untitled, 1998
Sans titre
Mine graphite et crayon de couleur sur papier
Graphite and prismacolor on paper
22,9 x 30,5 cm
9 x 12 inches
Courtesy de l'artiste

31 | Untitled, 1998
Sans titre
Mine graphite et crayon de couleur sur papier
Graphite and prismacolor on paper
30,5 x 22,9 cm
12 x 9 inches
Courtesy de l'artiste

32 | Untitled, 1998
Sans titre
Mine graphite et crayon de couleur sur papier
Graphite and prismacolor on paper
30,5 x 22,9 cm
12 x 9 inches
Courtesy de l'artiste

33 | Untitled, 2000
Sans titre
Acrylique sur papier journal
Acrylic on newspaper
56 x 68,6 cm
22 x 27 inches
Courtesy de l'artiste

34 | Happy VI
(The World), 2000-2001
[Heureux VI (Le monde)]
Crayon de couleur sur papier
Prismacolor pencil on paper
88,9 x 120,6 cm
35 x 47 1/2 inches
Collection Darwin and Geri Reedy

35* | Untitled (Love),
2000-2001
Sans titre (Love)
Partition musicale collée sur panneau
Sheet music collage on board
67,9 x 99 cm
26 3/4 x 39 inches
Whitney Museum of American Art, New York
Purchase, with funds from Faith Golding Linden

36** | Untitled (Colour),
2000-2001
Sans titre (Couleur)
Diptyque
Diptych
Partitions musicales découpées
et collées sur papier
Sheet music collage on paper
Chaque élément : 67 x 132 cm
Each element: 27 3/4 x 105 1/2 inches
Musée national d'art moderne,
Centre Pompidou, Paris

37 | Slower Than This, 2001
[Plus lent]
Photographies découpées sur papier
(6 feuilles)
Cut photographs on paper
(6 elements)
168 x 76,2 cm
66 x 30 inches
Collection particulière, Suisse

38 | Untitled-bare, 2001
Sans titre - Nu
Vénilia sur papier
Contact paper on paper
160 x 118,7 x 5,7 cm
63 x 46 3/4 x 2 1/4 inches
Courtesy de l'artiste

39 | Where the Sky
Fills in, 2002
[Où le ciel se remplit]
Photographie découpée
Chromogenic color print
193 x 127 cm
76 x 50 inches
The Museum of Modern Art, New York
Fractional and promised gift of Agnes Gund
in honor of Elaine Dannheisser

40 | Study for Traveler, 2002
[Étude pour voyageur]
Miroir sur papier
Mirror on paper
76,2 x 55,9 cm
30 x 22 inches
Collection John et Amy Phelan, New York

41 | Oh Great Terrain, 2002
[Ô immense terrain]
Peinture acrylique sur mur
Latex paint on wall
Dimensions variables
Variable dimensions
Collection Glenn Fuhrman New York,
Courtesy The FLAG Art Foundation

42 | Still to Come, 2004
[À venir]
Feuille d'or 23 carats et adhésif sur papier
23 k gold with beva on paper
152,4 x 111,8 cm
60 x 44 inches
Collection particulière

43* | Study for Gold
Progression Black I, 2004-2005
[Étude pour Progression noire I en or]
Feuille d'or 24 carats et adhésif sur papier
24 k gold and beva on paper
76,2 x 55,9 cm
30 x 22 inches
Whitney Museum of American Art, New York
Promised gift of CRG Gallery

44 | The Good News /
Le Monde (Paris, France), 2005
[Les Bonnes Nouvelles /
Le Monde (Paris, France)]
Feuille d'or 24 carats sur papier journal
24 k gold on newsprint
47 x 29,2 x 2,5 cm (fermé) ;
47 x 58,4 x 2,5 cm (ouvert)
18 1/2 x 11 1/2 x 1 inches (closed);
18 1/2 x 23 x 1 inches (open)
Collection Pizzuti

45 | Untitled (for Ramona
D. Mary and Me!), 2006
Sans titre (pour Ramona
D. Mary et moi !)
Encre et salive sur papier
Saliva transferred ink on paper
151 x 105 cm
59 7/8 x 41 1/8 inches
Collection Daniel Radcliffe

46 | Untitled, 2006
Sans titre
Encre et salive sur papier
Saliva transferred ink on paper
151 x 105 cm
59 7/8 x 41 1/8 inches
Collection particulière, Londres

47 | Hang, 2007
[Suspendu]
Encre sumac et collage sur papier
Suma ink with collage on paper
152,4 x 104,2 cm
60 x 41 1/8 inches
Collection Sascha S. Bauer

48 | Simple Constellation, 2007
[Constellation simple]
Or 24 carats et adhésif sur papier journal
24 k gold and beva on newspaper
122 x 110 cm
47 1/8 x 43 1/8 inches
Collection Glenn Fuhrman New York,
Courtesy The Flag Art Foundation

49 | On the Way Between
Places 8/21, 2009
[Sur la route]
Fusain et salive sur papier
Charcoal and saliva on paper
76,2 x 55,9 cm
30 x 22 inches
Courtesy de l'artiste

50 | On the Way Between
Places 9/21, 2009
[Sur la route]
Fusain et salive sur papier
Charcoal and saliva on paper
76,2 x 55,9 cm
30 x 22 inches
Courtesy de l'artiste

51 | On the Way Between
Places 10/21, 2009
[Sur la route]
Fusain et salive sur papier
Charcoal and saliva on paper
76,2 x 55,9 cm
30 x 22 inches
Courtesy de l'artiste

52 | On the Way Between
Places 11/21, 2009
[Sur la route]
Fusain et salive sur papier
Charcoal and saliva on paper
76,2 x 55,9 cm
30 x 22 inches
Courtesy de l'artiste

53 | On the Way Between
Places 12/21, 2009
[Sur la route]
Fusain et salive sur papier
Charcoal and saliva on paper
76,2 x 55,9 cm
30 x 22 inches
Courtesy de l'artiste

54 | On the Way Between
Places 13/21, 2009
[Sur la route]
Fusain et salive sur papier
Charcoal and saliva on paper
76,2 x 55,9 cm
30 x 22 inches
Courtesy de l'artiste
(Non reprod.)

55 | On the Way Between
Places 14/21, 2009
[Sur la route]
Fusain et salive sur papier
Charcoal and saliva on paper
76,2 x 55,9 cm
30 x 22 inches
Courtesy de l'artiste

56 | Study for Blue IV, 2009
[Étude pour Bleu IV]
Pastel sur papier
Pastel on paper
151,8 x 104,1 cm
59 3/4 x 41 inches
Courtesy de l'artiste

* Œuvre exposée uniquement à Paris
** Œuvre exposée à Venise et à Londres
*** Œuvre non exposée

Repères biographiques et bibliographiques

1957

Naissance de James Joseph Hodges à Spokane dans l'État de Washington

1980

Diplôme de Bachelor of Fine Arts, Fort Wright College, Spokane

1983

Déménage à Brooklyn

1986

Diplôme de Master of Fine Arts, Pratt Institute, Brooklyn,
suivi d'une exposition personnelle dans la même institution

1989

« Historia Abscondita », Gonzaga University Gallery, Spokane
(6 – 27 octobre)

1991

« White Room », White Columns, New York
(13 décembre 1991 – 13 janvier 1992)

1992

« New Aids Drug », Het Apollohuis, Eindhoven, Pays-Bas

1994

« A Diary of Flowers », CRG Gallery, New York (7 janvier – 26 février)
« Everything For You », Interim Art, Londres (octobre – novembre)

1995

« Jim Hodges », Center for Curatorial Studies, Bard College,
Annandale-on-Hudson, NY (23 septembre – 2 décembre)
« Jim Hodges », CRG Gallery, New York (28 octobre – 9 décembre).
Publication : livre d'artiste avec texte de Julie Ault

1996

« States », the Fabric Workshop & Museum, Philadelphie (25 avril – 15 juin)
« Yes », Marc Foxx Gallery, Los Angeles

1997

« Jim Hodges : No Betweens and More », Site Santa Fe, Santa Fe
(15 mars – 22 juin)
« Jim Hodges », Galerie Ghislaine Hussenot, Paris (20 septembre – 17 octobre)
Participe à la Biennale de São Paulo (5 octobre – 8 décembre)

1998

« Jim Hodges : Welcome », The Kemper Museum of Contemporary Art, Kansas City (9 avril – 14 juin)
« Jim Hodges », CRG Gallery, New York (11 septembre – 10 octobre)
Réalise une couverture en laine pour le Norton Family Christmas Project

1999

« Jim Hodges : Every Way », Museum of Contemporary Art, Chicago
(16 janvier – 11 avril), puis Institute of Contemporary Art, Boston
(8 septembre – 1er octobre). Publication : catalogue avec texte d'Amanda Cruz
« Jim Hodges », Marc Foxx Gallery, Los Angeles
« Jim Hodges : New Work », Miami Art Museum, Miami
(22 octobre 1999 – 9 janvier 2000)
Participe à l'exposition « Regarding Beauty : A View of the Late 20th
Century », Hirshhorn Museum and Sculpture Garden, Washington D.C.
(7 octobre 1999 – 17 janvier 2000), puis Haus der Kunst, Munich
(11 février – 30 avril 2000)

2000

« Jim Hodges », Anthony Meier Fine Arts, San Francisco (5 mai – 9 juin)
« Jim Hodges : Subway Music Box », California College of Arts and Crafts,
Oliver Art Centre, Oakland (15 avril – 6 mai). Publication : brochure
avec interview de Jim Hodges par Lawrence Rinder
Participe avec Beatriz Milhazes et Faith Ringgold aux « Projects n° 70 »,
The Museum of Modern Art, New York (1er mai – 31 octobre).
Publication : brochure avec texte de Fereshteh Daftari

2001

« Jim Hodges », Galeria Camargo Vilaça, São Paulo

2002

« Jim Hodges : Like This », Dieu Donné Papermill, New York
(24 avril – 1er juin). Publication : brochure avec texte de Brett Littman
« Jim Hodges : This and This », CRG Gallery, New York (9 mai – 22 juin)
« Jim Hodges : Constellation of an Ordinary Day », Jundt Art Museum,
Gonzaga University, Spokane
« Subway Music Box », Nothwest Museum of Arts and Culture, Spokane
(25 juillet – 3 novembre)

2003

« Jim Hodges : Returning », ArtPace, San Antonio, TX (9 janvier – 6 avril)
« Colorsound », Addison Gallery of American Art, Phillips Academy,
Andover, MA (printemps)
« Jim Hodges », Stephen Friedman Gallery, Londres (10 juin – 26 juillet)
« Jim Hodges », The Tang Teaching Museum and Art Gallery, Skidmore
College, Saratoga Springs, NY (21 juin – 31 août), puis Austin Museum
of Art, Austin, TX (21 février – 23 mai 2004), Weatherspoon Art Museum,

University of North Carolina, Grensboro, NC (8 août – 24 octobre 2004)
et Museum of Contemporary Art, Cleveland, OH (27 janvier – 1er mai 2005).
Publication : catalogue avec interview de Jim Hodges par Ian Berry
et textes de Ron Platt et Allan Schwartzman
« Jim Hodges », Henry Art Gallery, University of Washington, Seattle, WA

2004

Participe à la Whitney Biennial (début mars – 30 mai)
« Jim Hodges : Dont Be Afraid », Worchester Art Museum, Worchester, MA
(avril 2004 – juillet 2005). Publication : brochure avec texte de Susan L. Stoops

2005

« Jim Hodges : Dont Be Afraid », The Hirshhorn Museum and Sculpture
Garden, Washington D.C. (19 août 2005 – 13 avril 2006)
« Jim Hodges : This Line to You », Centro Galego de Arte Contemporánea,
Saint-Jacques-de-Compostelle (19 octobre 2005 – 9 janvier 2006).
Publication : catalogue avec texte de Susan Harris et Lynne Tillmann

2007

« I Remember Heaven : Jim Hodges and Andy Warhol », Contemporary
Art Museum St. Louis, MO (26 janvier – 8 avril). Publication : catalogue
avec textes de Susan E. Cahan et José Esteban Muñoz
« Jim Hodges : 1991, 1992 », CRG Gallery au Art Dealers Association's
Art Show, New York (21 – 26 février). Publication : catalogue avec texte
de Nayland Blake

2008

« Jim Hodges », CRG Gallery, New York, 1er mars – 9 avril
« Jim Hodges », Stephen Friedman Gallery, Londres (31 mai – 19 juillet)
« Jim Hodges », Anthony Meier Fine Arts, San Francisco
(25 novembre – 19 décembre)

2009

« Jim Hodges : You Will See These Things », Aspen Art Museum, Aspen, CO
(13 février – 3 mai)
« Jim Hodges : Love et cetera », Centre Pompidou, Paris
(14 octobre 2009 – 18 janvier 2010), puis Fondazione Bevilacqua La Masa,
Venise (5 février – 11 avril 2010), Camden Arts Centre, Londres
(11 juin – 29 août 2010). Publication : catalogue avec textes de Jonas Storsve
et Colm Tóibín

Tombe d'Oscar Wilde au cimetière du Père-Lachaise, Paris
Oscar Wilde's grave in the Père-Lachaise Cemetery, Paris

Remerciements

Nous tenons à remercier en tout premier lieu Jim Hodges
pour sa généreuse collaboration à la conception de l'exposition
et Jessie Henson pour sa disponibilité et son efficacité pendant toutes
les phases de sa préparation.

Notre gratitude va également à toutes les personnes qui, à titres divers,
ont apporté leur aide à ce projet :
Eugenia Ballve, Carlos Basualdo, Ann Behan, Martin Bland,
Jeffrey Bussman, Françoise Cagli, Caroline Calloc, Ashley Carey,
Guy Carrard, Claire-Marie Caussin, Carlos Da Cruz, Pierre Daniel,
Jane Davey, Stephen Friedman, Barbara Gladstone, Agnes Gund, Caroline Heffion,
Kristine Helm, David Hubbard, Miciah Hussey, Sacha Ilic, Blair Kincaid,
Céline Lambert, Gaïta Leboissetier, Valérie Leconte, Dee O'Donoghue,
Bethany Pappalardo, Arzhel Prioul, Adam Rzepka, Charlie Scheips,
Françoise Thibaut, Hervé Veronèse,

Et tout particulièrement aux personnes et institutions suivantes :

Sascha S. Bauer

Glenn Fuhrman

Javier et Monica Mora

John et Amy Phelan

Ron Pizzuti

Daniel Radcliffe

Darwin et Geri Reedy

Heidi L. Steiger

Michael E. Shapiro, David Brennemann, Paula Haymon
High Museum of Art, Atlanta

Bonnie Pitman, Jeffrey Grove, Charles Wylie, Marci Driggers Caslin
Dallas Museum of Art

Laurence Gateau, Sandra Mellot, Emmanuel Lebeau
FRAC des Pays de la Loire, Carquefou

Glenn Lowry, Connie Butler, Kathy Curry, John Prochilo,
Jennifer Russel
The Museum of Modern Art, New York

Adam Weinberg, Carter Foster, Christy Putnam, Barbi Spieler, Abigail Hoover,
Whitney Museum of American Art, New York

Carla Chammas, Glenn McMillan, Richard Desroche
CRG Gallery, New York

Ainsi que toutes les personnes ayant préféré garder l'anonymat.

Réalisation

Catherine Sentis-Maillac, directrice de la production

Martine Silie, chef du service des manifestations

Katia Lafitte, chef du service architecture
et des réalisations muséographiques

Annie Boucher, chef du service de la régie des œuvres

Marie-Odile Peynet, chargée de production pour l'exposition,
assistée d'Orida Djada

Benjamin Simon, chargé de production pour
la peinture murale

Jasmin Oezcebi, architecte

Caroline Camus, régisseur des œuvres

Fabien Lepage, régisseur d'espace

Ateliers et moyens techniques : Lamri Bouaoune,
Antoine Couderc, Denis Curty, Philippe Delapierre, Pascal
Dumont, Sylvain Finoux, Marie-Christine Jomotte, Thierry
Kouache, Jean-Marc Mertz

Communication

Françoise Pams, directrice

Sébastien Gravier, attaché de presse

Catalogue

Nicolas Roche, directeur des Éditions

Jean-Christophe Claude, directeur adjoint

Françoise Marquet, responsable du pôle éditorial

Irène Tsuji, chargée d'édition
avec la collaboration de Jeanne Alechinsky,

Martial Lhuillery, fabrication

Matthias Battestini, Claudine Guillon
gestion des droits et des contrats

Conception graphique

Bernard Baissait, Nicolas Hermle

Crédits photographiques

Ron Amstutz : marque-page / bookmark, 41, 43, 44, 45, 53,
56-57, 66-67, 76, 94-95, 96, 97

Centre Pompidou [Philippe Migeat] : 80-81; [Adam Rzepka] : 105

CRG Gallery [Christopher Burke, Ellen Page Wilson,
Jean Vong, Alan Zindman] : 7, 10, 20, 42, 46, 47, 48, 49,
51, 50, 52, 54-55, 59, 60, 61, 63, 64-65, 68, 69, 70, 74,
75, 77, 78-79, 82-83, 84, 85, 86, 87, 90, 91, 92, 93

FRAC des Pays de la Loire, DR : 71

Cory Pichowicz : 88-89

Steve White : 4

Alan Zindman : 72-73

Cabinet d'art graphique
Collection Carnet de dessins

Titres de la collection déjà parus

Photogravure : IGS-cp, L'Isle-D'Espagnac
Achevé d'imprimer en octobre 2009 sur les presses
de l'imprimerie Geers Offset, à Gand, Belgique